O ESPINHO NA CARNE
E A GRAÇA DE DEUS

O ESPINHO NA CARNE E A GRAÇA DE DEUS

Como as piores circunstâncias podem ser usadas para o nosso bem

---

MARCELO AGUIAR

Copyright © 2021 por Marcelo Aguiar

Os textos bíblicos foram extraídos da *Nova Versão Transformadora* (NVT), da Editora Mundo Cristão (com permissão da Tyndale House Publishers), salvo indicação específica.

Todos os direitos reservados e protegidos pela Lei 9.610, de 19/02/1998.

É expressamente proibida a reprodução total ou parcial deste livro, por quaisquer meios (eletrônicos, mecânicos, fotográficos, gravação e outros), sem prévia autorização, por escrito, da editora.

Edição
Daniel Faria

Preparação
Paula Mazzini

Revisão
Natália Custódio

Produção e diagramação
Felipe Marques

Colaboração
Ana Luiza Ferreira

Capa
Douglas Lucas

CIP-Brasil. Catalogação na publicação
Sindicato Nacional dos Editores de Livros, RJ

A23e

    Aguiar, Marcelo
       O espinho na carne e a graça de Deus : como as piores circunstâncias podem ser usadas para o nosso bem / Marcelo Aguiar. - 1. ed. - São Paulo : Mundo Cristão, 2021.
       160 p.

       ISBN 978-65-86027-91-4

       1. Vida cristã. 2. Caminhada - Aspectos religiosos - Cristianismo. 3. Espiritualidade. I. Título.

21-70333   CDD: 248.4
                                         CDU: 27-584

Categoria: Inspiração
1ª edição: julho de 2021
1ª reimpressão: 2021

Publicado no Brasil com todos os direitos reservados por:

Editora Mundo Cristão
Rua Antônio Carlos Tacconi, 69
São Paulo, SP, Brasil
CEP 04810-020
Telefone: (11) 2127-4147
www.mundocristao.com.br

Ao pastor Orivaldo Pimentel Lopes.
Um homem que, como Paulo, combateu o bom combate.

Sumário

Prefácio 9
Introdução 13

1. Uma parábola 16
2. Confissões de um gigante 23
3. Nossa gloriosa fragilidade 35
4. Inclinação para o mal 48
5. O personagem misterioso 60
6. Fraquezas e insultos 73
7. Privações, perseguições e aflições 85
8. A graça entra em cena 97
9. Teoria e prática 109
10. Poder que se aperfeiçoa 121
11. A vitória final 133
12. Um testamento 145

Conclusão 154
Notas 156
Sobre o autor 159

Prefácio

Sou grato a Deus pela oportunidade de prefaciar este livro inspirador e repleto de sensibilidade com a vida humana e com a presença do Criador, escrito pelo querido amigo e colega de ministério, Marcelo Aguiar. Recomendo com entusiasmo mais um excelente fruto de sua capacidade criativa e clara de escrita, sempre com ricas abordagens e aplicações. Decidi ler este novo trabalho literário, *O espinho na carne e a graça de Deus*, durante várias viagens que fiz pelo Brasil e em diferentes contextos. Li com calma e atenção suficiente para interagir com o conteúdo e exposição de cada capítulo, em meditação e oração, buscando discernir as reverberações dentro de mim e as aplicações para minha vida pessoal, familiar e ministerial. Procurei entender também como poderia encorajar e enriquecer os leitores e a igreja de Jesus Cristo nos desafios relacionais e práticos propostos.

As reflexões que são colocadas para nós, leitores, podem gerar um forte vento de esperança, consolo, força e encorajamento constante diante da dor, da tentação e da provação. Certamente podem nos mostrar caminhos criativos e bons, necessários para lidarmos com as questões que se apresentam e às quais não conseguimos responder quando as forças se esvaem diante das circunstâncias adversas. Precisamos olhar além do que vemos e vivemos. Diante de uma dor contínua como a de um espinho na carne, espinho não retirado e presente, temos a oportunidade de desenvolver uma dependência de nosso Deus, amigo e pastor que, às vezes, nos parece distante ou ausente.

Caminhar com um Deus que está conosco no dia da bonança e no dia do deserto traz uma ambiguidade real, muitas vezes complexa e fragilizadora. Felizmente, somos encorajados o tempo todo, no texto que agora temos em mãos, a lidar com diversos aspectos da existência humana de forma consciente, corajosa e profunda, mesmo que não consigamos explicar racionalmente tudo o que vivemos na jornada da fé. Até porque fé e razão nem sempre se ajustam dentro de nossos pensamentos e emoções, seja no cotidiano da vida ou nas Escrituras Sagradas. Afinal, vivemos pela fé nele e em sua Palavra.

Temos aqui uma corajosa e responsável abordagem diante da vida pessoal e da experiência ministerial do apóstolo Paulo, a qual foi acompanhada, conforme seu próprio relato, de um espinho na carne em diversas situações que viveu. A vida de Paulo, seu ministério e compromisso com Cristo, seu serviço à igreja e ao reino, sempre foram impactantes, intrigantes e desafiadores. Vida de consagração e serviço, de escassez e fartura, de bênçãos incontáveis, de tentações, provas, prisões e perseguições que o ajudaram na construção de uma dependência plena do Deus trinitário que o chamou e vocacionou.

As cartas de Paulo trazem narrativas de viagens missionárias e ensinos profundos que balizam, até hoje, a fé cristã de forma ampla na sociedade, não somente no aspecto ético, moral, comportamental e religioso, mas também em uma espiritualidade presente, cotidiana, viva, de disciplinas espirituais práticas.

Espiritualidade essa que resulta no propósito a que a fé se destina, isto é, sermos mais parecidos com Cristo. Refletir a *Imago Dei* que nos foi presenteada na criação, tanto no caráter a ser construído como no que temos de fazer na missão confiada a nós: ser igreja e referencial na sociedade, tornando o amor de Jesus conhecido e manifestando, como seres humanos, sua glória.

Grato, querido amigo, por este texto abençoador. Grato, pastor Marcelo Aguiar, pastor por excelência, cuidadoso com o trato das Escrituras Sagradas e em suas reflexões propostas. Grato por compartilhar conosco muito de sua rica experiência e sabedoria. Seu testemunho, simplicidade, maturidade e constância nos inspiram. Igualmente seu olhar atento e acolhedor nas questões complexas de nossa humanidade, pois transita e aborda com muita leveza, coerência, empatia, e de forma igualmente profunda, uma das mais misteriosas experiências vividas pelo apóstolo dos gentios.

Amigo leitor, procure lidar com sua humanidade e inclinações da carne diante do sofrimento contínuo representado nesse espinho, e fortalecer uma comunhão contínua com Deus. Procure compreender o propósito para seu crescimento e aprofundamento na fé. E, diante de temores e fragilidades, perceber oportunidades de ver o poder de Deus se aperfeiçoando nelas. Na mente e no coração do apóstolo Paulo, como discípulo de Jesus e no ministério abraçado, enxergamos a natureza, conteúdo, amplitude, profundidade e realidade da graça de Deus. Ela traz uma viva esperança presente e eterna com nosso Senhor.

Temos os recursos da graça, da presença do próprio Cristo, do encorajamento e da companhia do Espírito Santo, e o amor e bondade do Pai que nos entende e acolhe, para nos fortalecer em cada dia e situação vivida. Graça que nos ajudará a lidar e conviver com um espinho que acompanha cada um de nós como seres humanos, cristãos e discípulos. Espinho esse que, mesmo nos fragilizando no profundo de nosso ser, produzirá igualmente sanidade, crescimento, resiliência, paciência e maturidade para nos relacionarmos com Deus, com o próximo e com nós mesmos.

Assim seja!

NELSON BOMILCAR
Músico, compositor, pastor, escritor e teólogo

Introdução

A estrada da vida pode ter buracos que trazem solavancos e sobressaltos a nossa existência. Ainda que eles nos causem desconforto, quase sempre conseguimos superá-los e, na maior parte do tempo, não pensamos muito a seu respeito. Cedo ou tarde, porém, surgem trechos acidentados que nos obrigam a diminuir a velocidade, ou, até mesmo, a parar completamente. Quando as aflições se tornam intensas, lágrimas afloram a nossos olhos e temores se apoderam de nosso espírito. Nessas horas, seguir em frente se torna quase impossível. Ficamos como que detidos no acostamento, permanecendo ali enquanto tentamos entender o que está se passando. Procuramos uma maneira de consertar as coisas e de regressar ao caminho apesar da dor.

Deus, que sempre nos ama, observa nossa angústia e nos envia seu auxílio. O socorro pode chegar até nós na forma da visita de um amigo, da letra de um hino, da pregação de um sermão ou da leitura de um livro. Com muita frequência, ele nos alcança por meio de uma passagem das Escrituras. Isso acontece porque a Bíblia Sagrada é uma carta de amor endereçada pelo Pai a seus filhos. Em suas páginas encontramos consolo, incentivo e direção. Ali deparamos com histórias de homens e mulheres que também passaram por dificuldades, e somos fortalecidos por meio de seus exemplos de superação. Algumas dessas histórias se revelam particularmente parecidas com as nossas e, por isso, deixam uma impressão profunda em nossa alma.

A história de Paulo e seu espinho na carne, registrada em 2Coríntios 12, pertence a essa categoria. O relato é bem conhecido dos leitores da Bíblia. Ele descreve como o apóstolo, depois de passar por um arrebatamento espiritual extraordinário, foi atingido por uma forma de provação enigmática e dolorosa. Para Paulo, aqueles foram momentos complicados. Ele teve de lidar com o sofrimento e com os muitos questionamentos que o acompanharam. Ao final de tudo, porém, o missionário alcançou uma nova dimensão de intimidade com o Senhor. Descobriu que até as piores circunstâncias poderiam ser usadas para seu bem, e viu o poder divino aperfeiçoar-se em sua fraqueza. Ultrapassadas as barreiras, voltou à estrada da vida com disposição e alegria renovadas.

O caso de Paulo é capaz de nos trazer valiosos esclarecimentos. Ele pode concorrer para nossa edificação pessoal e ajudar-nos a extrair algo bom de nossas experiências ruins. Para que isso aconteça, será muito proveitoso estudá-lo com atenção e profundidade. Isso nem sempre é o que ocorre. Ainda que muito se fale sobre a passagem do espinho na carne, na maioria das vezes quando a questão é abordada as dúvidas costumam ser mais numerosas do que as certezas. Além disso, de maneira surpreendente, não existem muitos livros escritos sobre o assunto. Vários pregadores e palestrantes se referem ao episódio, mas quase não há títulos relacionados ao tema de Paulo e seu espinho. A presente obra visa preencher essa lacuna. Ela pretende apresentar as respostas bíblicas para as inquirições que costumam se erguer diante das questões do sofrimento e do mal.

Nas horas mais difíceis por vezes encontramos as bênçãos mais valiosas. José descobriu isso em uma prisão do Egito, e Cristo provou essa verdade em uma cruz em Jerusalém. De igual modo, podemos descobrir que as circunstâncias sombrias de nossa caminhada constituem o prenúncio dos momentos mais luminosos, assim como a noite é sempre mais escura um pouco antes de amanhecer.

No instante de sua provação, Paulo permaneceu aos pés do Salvador, até que uma resposta do céu lhe trouxe alívio e esperança. Hoje, quando nós mesmos deparamos com tantos tipos de desafios, podemos aprender com sua experiência e ter nossa fé revigorada. Deus jamais nos abandona. Ele está sempre ao nosso lado. Com sua ajuda, somos capazes de nos refazer dos golpes sofridos, de nos manter no rumo certo e de conquistar grandes vitórias. Essa é a vontade do Senhor para nós. E esse é o tema do qual tratarão as páginas à nossa frente.

1
Uma parábola

> Aqueles que mergulham no mar das aflições trazem pérolas raras para cima.
>
> CHARLES SPURGEON

Ela estava afundada na lama havia muito tempo. Acima dela as correntes passavam e movimentavam sedimentos. À sua volta, tudo o que existia era uma absoluta escuridão. Paredes sombrias cercavam-na por completo, encerrando-a em um ambiente claustrofóbico. Até aquele momento, nenhuma pessoa no mundo suspeitava de sua existência ou de sua importância. Na verdade, seria difícil imaginar um começo mais desfavorável.

As mãos que finalmente a libertaram eram hábeis e corajosas. No início foi só uma rápida sacudidela, um movimento brusco que agitou o lodo. Algo fora do comum, mas não muito especial. Poucos segundos depois, entretanto, um pálido facho de luz adentrou a cela, revelando sua ocupante pela primeira vez. A tênue luminosidade fez despertar o brilho que ela própria tinha e que ninguém havia enxergado. Em seguida, mãos firmes a envolveram e a levaram para cima.

— Você não vai acreditar no que eu encontrei — disse o mergulhador sorrindo ao se aproximar da canoa.

O amigo, animado com aquelas palavras, rapidamente lhe estendeu a mão, puxando-o a bordo. O céu acima deles estava completamente azul, iluminado pelo sol que brilhava sobre o mar do Caribe. À sua volta, aves barulhentas planavam ao vento, enquanto o movimento ritmado das ondas sacolejava a embarcação. No horizonte, as praias e matas do Novo Mundo completavam o quadro e emolduravam o cenário.

— Deixe-me ver — pediu o companheiro, ansioso.

O homem de pele escura acomodou-se na canoa, sem que o largo sorriso lhe deixasse a face. Aos poucos, foi abrindo a concha feita com suas mãos. E a visão daquilo que seus dedos antes ocultavam deixou o amigo boquiaberto. Diante de seus olhos, faiscando ao sol, estava a maior e mais perfeita pérola que qualquer um já tinha visto.

Assim começou a fascinante jornada de *La Peregrina*, uma das pérolas mais famosas da história. Pesando mais de cinquenta quilates, a joia foi encontrada no início do século 16 por um escravo que, como recompensa, ganhou a liberdade. Seu proprietário recebeu terras e títulos, e a preciosidade passou às mãos do administrador espanhol do Panamá. Dali para a exibição nas elegantes cortes da Europa não se passou muito tempo. Em 1513 ela já estava em Madri, no tesouro do rei Fernando V. No ano seguinte, foi engastada a um colar e presenteada por Filipe II à rainha Maria I da Inglaterra, como presente de casamento.

Após a morte de Maria I, o colar retornou ao tesouro espanhol. Ali ele permaneceu por vários séculos, tendo sido usado por soberanas como Margarida da Áustria e Elizabeth da Espanha. Em 1808, o francês José Bonaparte, irmão mais velho do famoso imperador, apossou-se da joia. Ele a deixou em seu testamento para o sobrinho Napoleão III. Mais tarde, quando Napoleão III seguiu para o exílio na Inglaterra, *La Peregrina* foi vendida para o Duque de Abercorn, permanecendo em sua família até o ano de 1969. Foi nessa época que, apesar de protestos da família real inglesa, decidiu-se que a pérola seria leiloada.

Levada a leilão pela Sotheby's de Londres, a gema foi adquirida pelo ator Richard Burton pela quantia de trinta e sete mil dólares. Ele deu a renomada joia à sua esposa, a atriz Elizabeth Taylor. Desse modo, alçada dos nobres palcos da realeza para a luz dos holofotes de Hollywood, a fama da pérola se tornou ainda maior. Com a morte de Elizabeth Taylor em 2011, *La Peregrina* foi leiloada novamente. Era esperado que alcançasse um grande valor, mas o lance vitorioso superou todas as expectativas. Um comprador anônimo arrematou a joia por onze milhões de dólares.

Ainda que nem todas as pérolas tenham sido adquiridas por quantias milionárias ou ficado tão célebres como *La Peregrina*, todas elas são valorizadas e desejadas. As pérolas são consideradas "as rainhas das gemas", pois, ao contrário das demais pedras preciosas, não necessitam de lapidação ou polimento a fim de revelar sua beleza. Egípcios e gregos, romanos e judeus, persas e chineses, japoneses e polinésios: cada um desses povos aprendeu a apreciar as pérolas desde a mais remota antiguidade.

Registros do uso dessas contas brilhantes retrocedem a quatro mil anos, e muitos estudiosos acreditam que tenham sido as primeiras joias da humanidade. O colar de pérolas de Susã, o mais antigo já encontrado, data do século 5 a.C. e foi achado no túmulo de uma rainha da Pérsia. Há muitas histórias e lendas envolvendo as pérolas. Uma delas conta que a soberana egípcia Cleópatra, a fim de impressionar Marco Antônio com sua riqueza, garantiu-lhe que seria capaz de preparar o prato mais caro jamais servido em um banquete. Em seguida ela dissolveu um de seus brincos de pérola em uma taça de vinho e, diante dos olhos assustados do comandante romano, bebeu o líquido e ganhou a aposta.

Ainda hoje, pessoas famosas costumam recorrer aos brincos e colares de pérolas devido ao ar de sofisticação que eles costumam conferir. Entre as admiradoras desse tipo de adereço encontramos nomes como os de Jacqueline Kennedy, Audrey Hepburn, Kate Middleton e Angela Merkel. As pérolas conquistaram, igualmente, o mundo das artes. O quadro *Moça com brinco de pérola* é o mais famoso do pintor Jan Vermeer, sendo considerado, por muitos, a Mona Lisa da arte holandesa.

Também na Bíblia Sagrada a pérola é mencionada como sinônimo de valor e nobreza. Nas palavras de Jesus, o cúmulo da insensatez seria atirar pérolas aos porcos (Mt 7.6). E, quando quis enfatizar a excelência do reino de Deus, o Salvador não o comparou a um diamante ou a uma esmeralda, e sim a uma pérola de grande preço (Mt 13.45-46). Chegando a Apocalipse, encontramos as portas do céu descritas como doze grandes pérolas, conferindo ainda mais esplendor à morada eterna dos salvos (Ap 21.21).

Amadas e valorizadas no mundo inteiro, todas as pérolas compartilham um começo humilde. Elas são formadas dentro das ostras, no fundo do mar ou no leito dos rios, como uma forma de defesa contra intrusos no interior da concha. Quando o molusco é ferido por um grão de areia, um pedaço de coral ou um parasita, tem início um processo de inflamação. A fim de se proteger, o animal envolve o agressor em seguidas camadas de nácar. E desse modo se origina uma pérola.

Toda pérola é uma joia formada a partir da ferida de uma ostra. E, nesse sentido, as pérolas se tornam uma parábola adequada para descrever aquilo que ocorre quando a carne, o espinho e a graça se encontram. Nessa história inquietante e desafiadora — na qual todos nós tomamos parte — há um elemento frágil e vulnerável, passível de ser ferido (a carne). Contra ele se levantam as fraquezas, insultos, privações, perseguições e aflições (o espinho). E a única possibilidade de superação se acha na aplicação de sucessivas camadas do providencial amor divino (a graça).

Quando estamos mergulhados até o fundo nos meandros dessa história, é difícil acreditar que de algo tão doído possa emergir qualquer coisa boa. O mais provável é que passemos a lamentar nossas dificuldades, ou então que nos ponhamos a questionar Deus por causa de nosso sofrimento. Entretanto, precisamos lembrar que, se as ostras não fossem feridas, não existiriam as pérolas. E que, nesse caso, talvez escravos não fossem libertos, reis não recebessem honra, e o amor não encontrasse sublimes formas de expressão.

Isso explica a razão de algumas das pessoas mais extraordinárias que já passaram pelo mundo terem sido, também, as que enfrentaram as mais severas aflições. A conferencista internacional Helen Keller, cega e surda desde os dois anos de idade, afirmou: "A experiência humana não seria tão rica e gratificante se não existissem obstáculos a superar. O cume ensolarado de uma montanha não seria tão maravilhoso se não existissem vales sombrios a serem atravessados". E Corrie ten Boom, outra palestrante célebre que passou anos em um campo de concentração por acolher judeus durante a Segunda Guerra Mundial, declarou: "Nenhum poço é tão profundo que Deus não possa alcançar. Com Jesus, mesmo nos momentos mais difíceis e sombrios, o bem permanece e o melhor está por vir".

Mais recentemente, outros nomes se destacaram por conquistar vitórias em meio à adversidade. Joni Eareckson Tada, que ficou tetraplégica ainda jovem depois de um mergulho malsucedido, tornou-se uma famosa cantora, pintora, escritora e conferencista. Ela declarou: "Estou agradecida por minha tetraplegia. Ela é um presente embrulhado em cores escuras, uma companheira que me leva para os braços do meu Salvador, onde a alegria está". Nick Vujicic, por sua vez, nasceu sem braços e pernas, e veio a se tornar um conhecido evangelista e palestrante motivacional. Ele afirmou: "São as dificuldades em nossa vida que nos dão a oportunidade de experimentar a fidelidade de Deus". E há ainda o caso de Bethany Hamilton, a adolescente que teve um braço arrancado por um tubarão e que construiu uma carreira de sucesso como surfista profissional. "A vida é como o surfe", disse ela. "Quando você é derrubado por uma onda, precisa se levantar rápido, porque nunca se sabe o que a próxima onda trará. Mas, se você confiar em Deus, tudo será possível."

A mesma verdade se aplica a cada um de nós. Todos passamos por lutas. Mas, com a ajuda do Senhor, somos capazes não apenas de sobreviver, como também de extrair coisas boas das experiências ruins. As ondas do mar da vida passam sobre nós, não para afogar-nos, mas para desenterrar tesouros.

Enfermos lidando com suas dores, pais aflitos por causa do comportamento dos filhos, cônjuges enfrentando crises conjugais, homens chorando diante de suas perdas, mulheres lamentando seus desapontamentos, jovens atordoados pelas injustiças, idosos feridos pela solidão: todos podem encontrar riquezas em meio a seus momentos sombrios. Só precisam saber onde procurar.

As Escrituras ensinam que o sofrimento faz parte de nossa caminhada sobre a terra. Entretanto, elas vão além. Afirmam que o sofrimento pode se converter em um aliado precioso para nossa segurança e em uma ferramenta eficaz na promoção de nosso crescimento. As dificuldades não são superadas apenas quando são removidas. Elas também são vencidas quando nosso Pai celestial as usa para nosso bem e para sua glória.

Certa vez, um homem de Deus, chamado Paulo, escreveu sobre sua própria experiência envolvendo o espinho na carne e a graça de Deus. Assim como no caso de *La Peregrina*, o resultado foi uma joia nascida da situação mais improvável. A partir da fragilidade e da dor, o Senhor criou uma realidade que abençoou a vida de seu servo. Os desdobramentos de sua história também enriqueceram a vida de multidões ao longo dos anos e ao redor do mundo. Ainda hoje, a confidência peregrina de Paulo nos alcança e nos conforta. Ela chega até nós cheia de empatia, instrução, sabedoria e verdade.

Do mesmo modo como aconteceu com o apóstolo, é possível que aquilo que trazemos no recôndito de nossa alma acabe se revelando uma pérola de grande valor. Tal prodígio é obra do poder de Deus, que é capaz de transformar qualquer coisa. Para tanto, precisaremos deixar que seus dedos amorosos toquem os pontos mais delicados de nossas lembranças e de nossas situações. Mãos hábeis e corajosas terão de abrir a concha na qual guardamos nossas dores, trazendo-as à superfície. Lampejos de bondade precisarão incidir sobre nossas feridas, expondo-as e tratando-as. E então, operado o milagre, tudo cintilará diante de nossos olhos, numa explosão insuspeita de beleza e luz.

2
Confissões de um gigante

Todos os gigantes de Deus são homens fracos.

Hudson Taylor

Paulo está assentado à mesa. Ele tem diante de si o pergaminho, a pena e a tinta. A luz tremeluzente do candeeiro ilumina precariamente o pequeno aposento, obrigando o apóstolo a forçar ainda mais sua já debilitada visão. Há uma expressão de gravidade em seu rosto. A carta que está escrevendo para os coríntios aproxima-se do final. Entretanto, por um instante, ele questiona se deve seguir adiante. O texto começa a tomar um rumo muito pessoal. Um segredo guardado há catorze anos está para ser revelado. E Paulo pergunta a si mesmo se tornar pública uma experiência tão íntima será a coisa certa a fazer.

A ligação do apóstolo Paulo com a igreja de Corinto era antiga e forte. Ele havia chegado àquela importante cidade da Grécia em sua segunda viagem missionária. Depois de passar por Filipos, Tessalônica, Bereia e Atenas, seus olhos tinham se voltado para o ocidente, em direção ao Peloponeso. Assim chegara a Corinto, que era a capital da província romana da Acaia. No local ele havia encontrado uma população constituída, em sua maior parte, de gregos nativos, colonos romanos e imigrantes judeus. Eram pessoas que tinham sede da verdade e que precisavam de salvação. Obedecendo a uma orientação divina, o apóstolo consagrou um bom tempo de sua vida à evangelização daquelas pessoas.

Durante um ano e meio, Paulo falou a respeito de Jesus para os moradores de Corinto. No começo ele foi auxiliado por Áquila e Priscila, um casal de judeus que havia chegado recentemente de Roma. Por algum tempo os três se uniram para fabricar tendas e testemunhar de sua fé. E quando Silas e Timóteo chegaram da Macedônia, Paulo se dedicou integralmente à pregação da Palavra. Apesar da oposição encontrada, aqueles meses se revelaram muito frutíferos. O Senhor abençoou o esforço de seus servos. Como resultado, muitos homens e mulheres abraçaram a fé em Cristo.

Uma igreja e seu mundo

Corinto estava localizada na principal rota comercial entre o leste e o oeste, o que fazia que seu porto estivesse sempre cheio de marinheiros, soldados, mercadores e prostitutas. Isso explicava, em parte, a má reputação que o local tinha conquistado. Porém, havia mais. A cidade abrigava um grande templo dedicado a Afrodite, a deusa grega da paixão e do sexo, onde centenas de sacerdotisas vendiam o próprio corpo. De fato, naquele lugar os vícios corriam tão livremente que a expressão "corintianizar" havia sido usada, em todo o Império Romano, como sinônimo de viver desregradamente.

De várias formas, o mundanismo que reinava na cidade trazia desafios para a jovem congregação cristã. Nunca era fácil saber se o produto adquirido no mercado não havia sido, antes, oferecido a alguma divindade. E também era difícil prever quando uma festa aparentemente inocente poderia degenerar em uma orgia. Assim, em algumas ocasiões os convertidos se viam diante de dilemas morais impostos pelo comportamento de seus vizinhos. E, em outros momentos, deixavam-se influenciar por seus costumes, trazendo escândalo para a igreja.

Paulo amava aqueles irmãos e desejava, de todo o coração, que se mantivessem firmes. Fez visitas a eles em viagens posteriores depois de deixar a cidade e enviou-lhes cartas com a intenção de orientá-los. Entretanto, nem sempre a convivência entre o pastor e seu rebanho foi pacífica. Divisões minavam a unidade dos crentes. Falsos apóstolos colocavam dúvidas em sua mente. Pecados ameaçavam sua reputação. Certa vez, Paulo chegou a ser afrontado e desrespeitado publicamente. Naquela ocasião, ele foi embora de Corinto muito abatido. Posteriormente, a congregação viria a reconhecer que tinha agido mal, buscando remediar as coisas. Mas até o fim de sua vida aquela igreja seria, para Paulo, motivo de preocupação.

Agora, no momento em que escreve uma nova carta para os coríntios, todas essas lembranças se agitam em sua mente. Nas linhas anteriores, ele havia defendido sua autoridade apostólica e lembrado aos cristãos as provações que enfrentara a fim de pregar a Palavra de Deus. Contudo, hesita em prosseguir. Em seu coração está o desejo de compartilhar uma experiência pessoal que, ele acredita, poderá contribuir para a edificação de seus leitores. Mas receia ser mal interpretado. Não quer dar a impressão de estar se gabando, nem banalizar um assunto que, para ele, é da maior consideração.

"Vá em frente", diz-lhe a voz do Espírito Santo.

Paulo lança mão da pena e molha sua ponta na tinta. Traz o candeeiro para mais perto de si, inclina-se sobre a mesa em direção ao pergaminho, e leva adiante a tarefa. Suas reservas estão vencidas, a hesitação foi superada. A redação da carta prossegue. De maneira corajosa, ele passa a abrir o coração com os leitores. E a história que, por meio dos movimentos rápidos de seus dedos, o apóstolo vai colocando em palavras relata um acontecimento marcante vivido em sua trajetória com Deus:

> É necessário prosseguir com meus motivos de orgulho. Mesmo que isso não me sirva de nada, vou lhes falar agora das visões e revelações que recebi do Senhor.
> Conheço um homem em Cristo que, há catorze anos, foi arrebatado ao terceiro céu. Se foi no corpo ou fora do corpo, não sei; só Deus o sabe. Sim, somente Deus sabe se foi no corpo ou fora do corpo. Mas eu sei que tal homem foi arrebatado ao paraíso e ouviu coisas tão maravilhosas que não podem ser expressas em palavras, coisas que a nenhum homem é permitido relatar.
> Da experiência desse homem eu teria razão de me orgulhar, mas não o farei; na verdade, minhas fraquezas são minha única razão de orgulho. Se quisesse me orgulhar, não seria insensato de fazê-lo, pois estaria dizendo a verdade. Mas não o farei, pois não quero que ninguém me dê crédito além do que pode ver em minha vida ou ouvir em minha mensagem, ainda que eu tenha recebido revelações tão maravilhosas.
>
> 2Coríntios 12.1-7

Um acontecimento inesquecível

O que Paulo descreve no capítulo 12 de 2Coríntios é um acontecimento extraordinário. Ele considera sua visita ao paraíso uma experiência tão sublime que começa a descrevê-la usando a terceira pessoa do singular, como se quisesse atribuí-la a um indivíduo mais digno ou manter dela uma distância respeitosa. É aos poucos que a narrativa vai passando para a primeira pessoa do singular. O "homem em Cristo" levado às alturas é, sem dúvida, o próprio apóstolo. Ele não sabe dizer se o que ocorreu foi um êxtase ou um deslocamento físico. Mas tem certeza de que o episódio foi real.

Registrando no pergaminho aquilo que havia vivenciado catorze anos antes, Paulo relata que esteve no "terceiro céu". O que, exatamente, essa declaração quer dizer? Na época em que o Novo Testamento foi escrito, as pessoas utilizavam a palavra "céu" para se referir a três dimensões diferentes. O primeiro céu era o lugar em que voavam as aves (aquilo que, hoje, chamaríamos de atmosfera). O segundo céu era o local em que brilhavam os astros (o que nós chamaríamos de espaço). E o terceiro céu era o paraíso, a própria morada de Deus.[1]

Foi no paraíso, portanto, que Paulo esteve. "Paraíso" era uma palavra de origem persa que, literalmente, significava "jardim". O termo havia sido empregado na tradução das Escrituras do hebraico para o grego — a Septuaginta — a fim de designar o Éden. A partir de então, os judeus passaram a usá-lo para se referir ao céu. Todos lembramos que, ao malfeitor arrependido, Cristo prometeu: "Eu lhe asseguro que hoje você estará comigo no paraíso" (Lc 23.43). E no último livro da Bíblia achamos outra promessa do Salvador: "Ao vitorioso, darei o fruto da árvore da vida que está no paraíso de Deus" (Ap 2.7).

Não sabemos como, precisamente, Paulo esteve no paraíso. Mas somos informados de que ali ele ouviu coisas inefáveis que não poderiam ser expressas em palavras. Na verdade, mesmo que aquilo que o missionário presenciou pudesse ser descrito, estava ligado a uma realidade tão formidável que nenhuma pessoa teria permissão para relatar. O apóstolo aborda o tema com extrema discrição. Seu objetivo não é manter-nos curiosos em razão da falta de detalhes, e sim mostrar reverência diante de um acontecimento sublime. Assim como Moisés precisou tirar as sandálias dos pés ao aproximar-se da sarça ardente, Paulo tinha consciência de que estava pisando em solo sagrado quando se referia a seu arrebatamento.

Analisando o assunto com maior atenção, damo-nos conta de que a grandiosidade do evento poderia, por si só, representar um perigo. Passar por uma experiência tão maravilhosa como a que Paulo viveu poderia ter seu preço. Visitar o terceiro céu e desfrutar tal comunhão com Deus bem poderia virar a cabeça de uma pessoa ou mexer com seu ego. Alguém que recebesse tamanho privilégio correria o risco de ser invadido pelo orgulho. Ou, pior ainda, poderia acabar sendo destruído por ele.

Para termos uma ideia do que esse perigo significava, podemos usar, mesmo que a título de ilustração, um relato da antiga literatura hebraica. Segundo a tradição dos judeus, quatro teriam sido os rabinos que entraram no paraíso. Esses rabinos praticavam uma forma de contemplação mística, e teriam realizado essa façanha mediante técnicas de meditação e introspecção. Seus nomes eram Ben Azzari, Ben Zoma, Elisha ben Abuyah e Aquiba. Mas as coisas não terminaram bem para a maioria deles. De acordo com os relatos, Ben Azzari olhou e morreu. Ben Zoma deu uma espiada e ficou louco. Elisha ben Abuyah apostatou. E somente Aquiba escapou ileso da experiência. Isso mostra de que maneira o risco de envaidecer-se com as revelações divinas era visto, pelos contemporâneos de Paulo, como uma ameaça real.[2]

O apóstolo Paulo era uma pessoa de elevada estatura espiritual, um verdadeiro gigante da fé. Entretanto, os grandes homens e mulheres de Deus foram feitos do mesmo barro que nós. Seria possível que ele se ensoberbecesse com aquele acontecimento e começasse a ter a si mesmo em mais alta conta do que deveria? Poderia descuidar de sua dependência do Senhor e passar a confiar em sua capacidade humana? O próprio apóstolo acreditava que sim. E, ao refletir sobre essa questão, ele derrama ainda mais sua alma. Molhando outra vez a ponta da pena na tinta, inclina-se sobre o pergaminho e passa a descrever o que aconteceu a seguir:

> Portanto, para evitar que eu me tornasse arrogante, foi-me dado um espinho na carne, um mensageiro de Satanás para me atormentar e impedir qualquer arrogância.
>
> Em três ocasiões, supliquei ao Senhor que o removesse, mas ele disse: "Minha graça é tudo de que você precisa. Meu poder opera melhor na fraqueza". Portanto, agora fico feliz de me orgulhar de minhas fraquezas, para que o poder de Deus opere por meu intermédio. Por isso aceito com prazer fraquezas e insultos, privações, perseguições e aflições que sofro por Cristo. Pois, quando sou fraco, então é que sou forte.
>
> 2Coríntios 12.7-10

Uma experiência impactante

Nos versos transcritos acima encontramos o mais pessoal dos textos paulinos. É por meio deles que somos apresentados ao drama envolvendo a carne, o espinho e a graça. De certo modo, essa passagem é "o Santo dos Santos" das cartas de Paulo. Em nenhum outro de seus escritos ele revela tanto de sua intimidade. Em nenhum outro texto ele abre tanto seu coração. Não se trata apenas de uma passagem famosa. É um trecho tão profundo quanto enigmático, tão particular quanto universal. Cada um dos versículos constitui, simultaneamente, confissão humana e revelação divina. Ler essas palavras é ter acesso a um verdadeiro tesouro.

Paulo realmente ofertou um valioso presente a seus irmãos de Corinto. Relatando esses detalhes de sua caminhada de fé, ele reassegurou diante deles sua autoridade como enviado de Deus. Mas não apenas isso. Ele ofereceu aos coríntios uma nota de esperança. Conforme lutavam contra suas próprias dificuldades, eles poderiam se inspirar no exemplo do apóstolo. Seu líder espiritual não era um homem perfeito e autossuficiente. Era alguém que dizia: "Minhas fraquezas são minha única razão de orgulho".

E quanto a nós? Assim como os leitores originais de Paulo, também precisamos ser gratos a ele pela maneira como se expôs e nos deixou saber de detalhes tão particulares de sua vida. Devemos examinar suas palavras com cuidado e estudar seu relato com atenção. Para sermos justos, trata-se de um texto comovente. Nas palavras de William Barclay, "se temos sensibilidade, devemos ler essa passagem com reverência, visto que nela Paulo desnuda seu coração e nos mostra, ao mesmo tempo, sua glória e sua dor".[3]

Graças à coragem e à generosidade de Paulo, estamos diante de informações capazes de ajudar-nos em nossas peregrinações. Suas revelações podem ser de grande ajuda nas próprias experiências que vivemos. De acordo com a Bíblia, "essas coisas foram registradas há muito tempo para nos ensinar, e as Escrituras nos dão paciência e ânimo para mantermos a esperança" (Rm 15.4). Qual de nós não precisa disso enquanto caminha pelas estradas deste mundo?

No livro *O peregrino*, escrito por John Bunyan no século 17, a vida espiritual é comparada a uma jornada cheia de exigências e descobertas. Em certo ponto da história, o personagem principal, chamado Cristão, se aproxima da base de um morro conhecido como Desfiladeiro da Dificuldade. O trecho é bastante íngreme, mas Cristão se dispõe a subi-lo, pois deseja chegar à Cidade Celestial. Enquanto isso, outros dois personagens chegam ao lugar. A fim de evitar o esforço, eles escolhem tomar dois atalhos, conhecidos como Perigo e Destruição. O resultado não poderia ser outro: o personagem principal segue firme rumo ao seu destino, enquanto os demais viajantes acabam por perecer.[4]

O que o autor quis ensinar com essa alegoria foi que até mesmo o melhor dos caminhos apresenta trechos árduos. Em nossa jornada para a Cidade Celestial, todos deparamos com o Desfiladeiro da Dificuldade. Nessas horas, podemos ser tentados a esmorecer e desistir, ou a tomar caminhos mais fáceis que não nos levarão a um bom lugar. Em momentos assim, precisamos de uma palavra que nos instrua e oriente, reassegurando-nos de que estamos na direção certa e renovando nossa força para prosseguirmos. É exatamente isso o que textos bíblicos como 2Coríntios 12.1-10 nos proporcionam. Deus, em sua bondade, nos acompanha em meio às tribulações. Por intermédio de sua Palavra ele nos oferece paciência e ânimo para mantermos a esperança.

Um sentimento em comum

No relato que fez, Paulo revelou sua glória e sua dor. Talvez, para nossa surpresa, elas acabem se mostrando muito parecidas com as nossas. À semelhança daquele servo de Deus, nós também nos defrontamos com desafios dentro e fora de nós.

> Pois Deus, que disse: "Haja luz na escuridão", é quem brilhou em nosso coração, para que conhecêssemos a glória de Deus na face de Jesus Cristo.
>
> Agora nós mesmos somos como vasos frágeis de barro que contêm esse grande tesouro. Assim, fica evidente que esse grande

poder vem de Deus, e não de nós. De todos os lados somos pressionados por aflições, mas não esmagados. Ficamos perplexos, mas não desesperados.

2Coríntios 4.6-8

Luz estonteante, fragilidade extrema, tribulação desconcertante: há um padrão aqui. Parece que os ingredientes que estavam presentes na experiência de Paulo podem ser encontrados na vida de cada filho ou filha de Deus. De modo particular, uma parte desses ingredientes, que são os espinhos da vida, se mostra capaz de nos deixar atônitos. Esses invasores rompem as defesas de nossa carapaça e nos agridem no que temos de mais vulnerável. Quando isso acontece, somos tomados por uma sensação de aviltamento. Quase nunca é fácil lidarmos com fraquezas, insultos, privações, perseguições e aflições. Entretanto, a verdade é que eles estão entre nós na maior parte do tempo.

Martinho Lutero, ao passar por lutas físicas e emocionais, confidenciou a um amigo: "Estou vivendo entre a morte e o inferno; meu corpo inteiro sente-se surrado; meus membros estão trêmulos". Outro cristão consagrado, o missionário David Brainerd, registrou em seu diário: "Fiquei tão tomado pela depressão que não sabia mais como viver; desejei excessivamente a morte; minha alma estava afogada em águas profundas, e as enchentes estavam prontas a me submergir". E William Cowper, um autor de hinos que lutou contra a melancolia, escreveu: "Fui golpeado com tal abatimento de espírito que somente aqueles que o experimentaram podem ter uma ideia do que significa".

Esses e muitos outros servos de Deus descobriram que a estrada da retidão está salpicada de espinhos. Assim como o apóstolo Paulo, eles precisaram aprender a conciliar a luz extraordinária de suas experiências com a realidade de sua fraqueza, imperfeição e dor. E fizeram isso para que ficasse evidente que todo o poder vinha de Deus, e não deles.

Às vezes, somos levados a acreditar em algo diferente. A maioria das pessoas à nossa volta costuma esconder suas angústias e fraquezas. Isso pode fazer que nos sintamos deslocados ao experimentar alguma forma de aflição, como se houvesse algo errado conosco. Na sociedade atual, estar sempre alegre parece ter se tornado uma espécie de dever: um fardo que todos são obrigados a carregar. Se a realidade da vida fosse aferida pelos perfis que as pessoas usam ou avaliada pelas fotografias que postam em suas redes sociais, chegaríamos à conclusão de que o mundo é um lugar perfeito. Entretanto, não é assim que as coisas são.

Podemos pensar que nossa família é a única que enfrenta crises, que apenas nosso sonho demora a se tornar realidade, que só nossa vida é repleta de dificuldades. Podemos deparar com indivíduos de elevada estatura espiritual e concluir que são pessoas livres de preocupações. Podemos acreditar que somos seres humanos muito ruins por passarmos por tantas adversidades. Ou podemos chegar à conclusão de que Deus não nos ama ao permitir que os problemas nos alcancem. Mas será que esses pensamentos estão corretos?

A história de Paulo e seu espinho na carne pode nos ser útil na medida em que aborda situações com as quais todos nós nos defrontamos. Ela nos remete a sentimentos que temos em comum. Somos capazes de nos identificar com a insatisfação do apóstolo diante da aflição, com seu desejo de ver-se livre da dor, com sua perplexidade perante a negação de suas expectativas. De igual modo, temos condições de aprender com ele a enxergar o mover de Deus em meio às tribulações e a tirar delas algo de bom.

Sabemos que os profetas, os mártires e o próprio Salvador enfrentaram o sofrimento. Temos consciência de que personagens famosos como Jó, Ana, John Wesley e Lottie Moon tiveram sua cota de lágrimas. O que às vezes esquecemos é que esse fato não constitui a exceção, e sim a regra. A tribulação não é uma exclusividade dos vultos ilustres. Ela não é uma experiência rara na vida das pessoas comuns. Pelo contrário, chega a ser curioso o fato de pensarmos tão pouco na dor e de ficarmos tão abalados quando ela se intensifica. O sofrimento é uma companhia constante, um velho conhecido da humanidade.

Se fôssemos feitos de bronze ou de pedra, como as estátuas, talvez as coisas fossem diferentes. Mas, nesse caso, não seríamos humanos. Não poderíamos oferecer uma ajuda muito eficaz àqueles que nos rodeiam. Não teríamos como nos compadecer dos cristãos de Corinto. E não seríamos capazes de nos identificar com o apóstolo Paulo. O fato é que somos feitos de carne e osso, que temos emoções e embaraços, que nos agitamos entre limitações e batalhas. A verdade é que acertamos e erramos, que sangramos e sorrimos, que vivemos experiências maravilhosas e sofremos golpes terríveis, e que todos os gigantes de Deus são homens fracos.

3
Nossa gloriosa fragilidade

> Quem são os simples mortais,
>   para que penses neles?
> Quem são os seres humanos,
>   para que com eles te importes?
> E, no entanto, os fizeste apenas um pouco menores
>   que Deus,
>   e os coroaste de glória e honra.
>
> SALMOS 8.4-5

Uma parte essencial no relato que Paulo faz de sua experiência é aquela em que ele afirma: "Portanto, para evitar que eu me tornasse arrogante, foi-me dado um espinho na carne, um mensageiro de Satanás para me atormentar e impedir qualquer arrogância" (2Co 12.7). Muito se tem discutido, ao longo dos séculos, sobre a identidade do misterioso espinho ao qual o apóstolo se refere. Entretanto, a correta interpretação dessa passagem exigirá de nós um trabalho prévio. Antes de qualquer outra coisa, precisaremos saber em que consiste a "carne" que é mencionada no texto.

No Novo Testamento, a palavra "carne" (ou *sarx*, na língua grega) tem usos tão diversos que nem sempre é fácil entender imediatamente o termo em seu contexto. É um daqueles casos em que um significante pode ter mais de um significado. Se quisermos saber realmente o que a Bíblia está falando, teremos de levar isso em conta.

Por exemplo, "carne" pode denotar simplesmente uma parte daquilo que compõe nosso corpo, ao lado de ossos e nervos. É o que acontece quando Paulo, escrevendo aos colossenses, lhes diz que Deus "os reconciliou consigo mesmo por meio da morte do Filho no corpo físico [ou 'no corpo da sua carne']" (Cl 1.22). Em passagens como essa, "carne" e "corpo" são praticamente sinônimos. Quando isso acontece, a expressão assume o significado neutro do componente anatômico que encobre nosso esqueleto.

Uma segunda acepção da palavra "carne" é aquela que nos designa como membros da espécie humana. É nesse sentido que a Bíblia afirma que Jesus Cristo "como homem [ou 'segundo a carne'], nasceu da linhagem do rei Davi " (Rm 1.3). Nesse caso, "carne" aponta para nossa ascendência familiar. Também enfatiza a identificação que temos com todos aqueles que, como nós, são humanos.

O terceiro uso que a expressão "carne" pode receber no Novo Testamento está ligado aos dois primeiros. É o que assinala a fragilidade, vulnerabilidade e mortalidade das pessoas. Quando utilizada nesse sentido, a palavra "carne" vem, muitas vezes, acompanhada da palavra "sangue". A Bíblia diz: "Visto, portanto, que os filhos são seres humanos, feitos de carne e sangue, o Filho também se tornou carne e sangue, pois somente assim ele poderia morrer e, somente ao morrer, destruiria o diabo, que tinha o poder da morte" (Hb 2.14).

Mas há um quarto significado que "carne" pode assumir nos textos sagrados, e este é bem diferente. É aquele que designa a inclinação que temos para o mal. Com muita frequência, o termo é usado na Bíblia para se referir ao lado obscuro do ser humano, à natureza pecaminosa que acompanha os indivíduos desde a queda de Adão e Eva, ao inimigo íntimo que nos faz tropeçar e promove um combate acirrado contra nossa santificação. No dizer do apóstolo dos gentios, "a mentalidade da natureza humana [ou 'a inclinação da carne'] é sempre inimiga de Deus. Nunca obedeceu às leis de Deus, e nunca obedecerá. Por isso aqueles que ainda estão sob o domínio de sua natureza humana [ou 'que estão na carne'] não podem agradar a Deus" (Rm 8.7-8).

Identificando a carne

Que uso Paulo queria dar ao vocábulo "carne" quando escreveu 2Coríntios 12.7? Ao que tudo indica, há duas respostas válidas para essa pergunta. A expressão "espinho na carne" é, no original grego, *skólops té sarki*. E as palavras *té sarki* tanto podem significar "na carne" quanto "para a carne". As duas traduções são possíveis.[1]

Sendo assim, esta é a questão que se coloca diante de nós quando analisamos essa passagem bíblica: se a intenção do apóstolo era se referir a um espinho "na carne", então o que ele tinha em mente era alguma coisa que machucava seu corpo, feria seus sentimentos, atacava sua consciência e o confrontava com sua limitação humana. Por outro lado, se a expressão buscava designar um espinho "para a carne", então Paulo aludia a algo que se chocava contra sua natureza pecaminosa, dobrava sua arrogância e mantinha sua inclinação para o mal sob controle.

A qual dessas duas possibilidades o apóstolo estava se referindo? A resposta mais provável é: às duas! O misterioso mensageiro de Satanás, sendo um espinho "na carne", machucava a frágil humanidade de Paulo. Ao fazer isso, porém, acabava se tornando um espinho "para a carne", usado por Deus, em sua soberania, para proteção de seu servo.

Essa notável combinação de elementos aparentemente inconciliáveis — injúria engendrada pelo diabo e livramento providenciado por Deus — não deveria nos causar espanto. Pelo contrário: é algo que pode ser encontrado, repetidamente, na Bíblia Sagrada. Aos irmãos arrependidos por tê-lo vendido como escravo, José respondeu: "Vocês pretendiam me fazer o mal, mas Deus planejou tudo para o bem" (Gn 50.20). E, ao prever a traição de Judas, Cristo afirmou: "O Filho do Homem deve morrer, como as Escrituras declararam há muito tempo. Mas que terrível será para aquele que o trair! Para esse homem seria melhor não ter nascido" (Mt 26.24).

Tanto na experiência de José quanto na de Jesus, fica claro que Deus não pode ser responsabilizado pelos pecados humanos ou pelas maquinações diabólicas. Isso está totalmente fora de questão. Mas, sem desrespeitar o livre-arbítrio dos homens nem cercear completamente a ação de Satanás, o Senhor usa os acontecimentos produzidos por eles a fim de alcançar seus propósitos. O ensino bíblico é de que ele faz todas as coisas (e não apenas as coisas boas) "cooperarem para o bem daqueles que o amam" (Rm 8.28).

É dessa maneira que algo que nos traz aflição pode se constituir, simultaneamente, em um espinho *na* carne e *para a* carne. Trata-se de um milagre da "graça recicladora de Deus", a qual é capaz de ressignificar tudo. No capítulo 8 de João, por exemplo, encontramos a conhecida história da mulher apanhada em adultério. A Bíblia diz que foram os fariseus que levaram a pecadora até Jesus. Evidentemente, eles não tinham nenhuma intenção de ajudá-la, pois já a haviam condenado. Mas mesmo sem saber eles acabaram por prestar-lhe um favor, pois levaram a mulher até aquele que poderia perdoá-la e libertá-la. Quem sabe se um favor semelhante não será prestado, a nós, pelos nossos espinhos?

Precisamos ter em mente, portanto, esse duplo aspecto da adversidade. Também é importante compreendermos que, como um espinho *para a* carne, o problema enfrentado por Paulo era, primeiramente, um espinho *na* carne. Era algo que o atingia em seu organismo, em suas emoções, em seus pensamentos e em suas relações. Era algo que lhe causava dor, tristeza, inquietação e constrangimento. Em outras palavras, era alguma coisa que o feria em sua fragilidade humana, assim como um corpo estranho, ao penetrar na concha da ostra, machuca a carne do molusco, a qual é, ao mesmo tempo, indefesa e tenra.

A complexidade humana

Nós, seres humanos, somos criaturas tão delicadas quanto admiráveis. De acordo com o relato bíblico, "o SENHOR Deus formou o homem do pó da terra. Soprou o fôlego da vida em suas narinas, e o homem se tornou ser vivo" (Gn 2.7). Frágeis como a areia e animados pelo hálito divino: eis aí a origem de nossa complexidade! Mais uma vez, as Escrituras colocam diante de nós a cena da luz formidável encerrada em vasos humildes. E a verdade é que, se vivêssemos em um mundo perfeito (como era a intenção original), isso não seria problema. Mas o pecado entrou no mundo e o desfigurou. A terra começou a produzir espinhos e abrolhos. E eles passaram a ferir nossa carne.

Que ser fascinante é o homem! Ele foi criado apenas um pouco menor que Deus, e coroado de glória e de honra (Sl 8.5). Ele foi feito pelo Senhor à sua própria imagem, conforme sua semelhança (Gn 1.26). Ele levou o Criador a olhar para tudo o que havia feito e considerar que era muito bom (Gn 1.31). Ele foi dotado de inteligência e destreza (Gn 2.19). Ele recebeu o privilégio de conhecer a Deus e de se relacionar com ele (Gn 3.8). Ele possui grande valor e elevada dignidade. Ele é a coroa da criação, a obra-prima do Criador.

Ao mesmo tempo, o homem é vulnerável e dependente. Sua estrutura é tão resistente quanto o pó de que ele é feito (Sl 103.14). Ele é como um sonho que desaparece, ou como a grama que brota e logo seca (Sl 90.5). Seus dias são tão fugazes quanto a neblina que se forma pela manhã e some quando o dia esquenta (Tg 3.14). Ele pode ser comparado à palha seca ou a uma folha soprada pelo vento (Jó 13.25). Ele precisa tanto de cuidados quanto uma ovelha precisa de um pastor (Sl 23.1). Ele é cheio de limites e desconhece muitas coisas.

Como podemos lidar com duas dimensões que se mostram, ao mesmo tempo, tão opostas? Milhões de homens e mulheres têm se perdido na tentativa. Alguns se tornam arrogantes, cegos para as próprias incoerências. Outros passam a vida a se lamentar, desmerecendo tudo o que receberam. Muitos escolhem o caminho da autoproteção, erguendo muros altos e cercando-se de conchas encorpadas, endurecendo os sentimentos e a consciência a fim de se protegerem da dor. Como resultado, talvez essas pessoas se sintam mais seguras. Mas certamente se tornam menos felizes, menos humanas.

Não podemos negar nossa humanidade. Precisamos aceitá-la. Não será deplorando nossa condição, ou querendo ser iguais a Deus, que nos realizaremos. Não, nada disso! Se agirmos assim, nos afastaremos do nosso Criador e despojaremos nossa vida de seu encanto. Nossa gloriosa fragilidade precisa ser reconhecida. Mais do que isso: ela pode ser apreciada.

Anjos e bolhas de sabão

Em um instigante filme chamado *Asas do desejo*, o diretor alemão Wim Wenders conta a história de um anjo que, cumprindo sua missão, se move entre as pessoas a fim de ajudá--las. Mesmo que elas não possam vê-lo, ele acompanha de perto suas lutas e dilemas, e até mesmo suas aflições. Apesar de tudo o que presencia, o anjo começa, a certa altura, a lamentar o fato de não ser humano. Porque, ainda que em sua natureza angelical ele esteja protegido da dor, não pode vivenciar as coisas que as pessoas vivenciam. Ele não é capaz de, como elas, experimentar o gosto das coisas, saber como os outros se sentem, ou mesmo viver um grande amor.

Desse modo, o filme pretende ser uma fábula, não sobre os anjos, mas sobre a condição humana. Tenta mostrar que o distanciamento talvez não nos proteja das dores, mas certamente nos priva da sensibilidade e do companheirismo. Se buscarmos ser super-homens numa tentativa de fechar a porta para a dureza da vida, acabaremos deixando do lado de fora, também, sua beleza.

As páginas da Escritura estão repletas de histórias de pessoas que amaram, sofreram, riram e choraram — enfim, que viveram! Os heróis da Bíblia não foram super-humanos. Eles foram gente como a gente. Foram homens e mulheres que abraçaram as alegrias e os dilemas da humanidade. Pensemos por um instante na dor de Adão e Eva enterrando o próprio filho, no abatimento de Moisés ao conviver com a ingratidão dos hebreus, nas lágrimas de Jeremias perante o exílio do povo, no temor de Ester ao apresentar-se diante do rei. Todas essas pessoas se envolveram de verdade. Elas se viram diante de situações semelhantes às que nós mesmos experimentamos.

Mas é provável que o maior exemplo de humanidade nos seja dado pelo próprio Filho de Deus. O Senhor Jesus Cristo, que:

> Embora sendo Deus,
> não considerou que ser igual a Deus
> fosse algo a que devesse se apegar.
> Em vez disso, esvaziou-se a si mesmo;
> assumiu a posição de escravo
> e nasceu como ser humano.
> Quando veio em forma humana,
> humilhou-se e foi obediente até a morte,
> e morte de cruz.
>
> Filipenses 2.6-8

Sendo o Deus encarnado, Jesus poderia ter usado os poderes divinos para driblar os aspectos mais delicados da existência humana. Poderia ter se protegido da dor e evitado o sofrimento. Entretanto, ele nunca fez isso. "Nosso Sumo Sacerdote entende nossas fraquezas, pois enfrentou as mesmas tentações que nós, mas nunca pecou", diz a Bíblia (Hb 4.15).

Ao vir ao mundo, Deus-Filho assumiu a forma de uma criança. Ele se colocou, vulnerável, nos braços de sua jovem mãe. Na condição de um recém-nascido, foi acalentado, amamentado, trocado, banhado, vestido e transportado. Tornou-se uma perfeita expressão de fragilidade, a própria imagem da dependência.

Como qualquer ser humano, o Salvador sentiu dor, fome, sede, fadiga e sono. Em Samaria ele deixou de acompanhar seus discípulos por estar muito cansado, e pediu a uma mulher à beira do poço que lhe desse de beber. No mar da Galileia, adormeceu no barco durante uma tempestade, porque estava simplesmente exausto. No Calvário ele disse que tinha sede, e estenderam vinagre a seus lábios.

Enquanto caminhou pelas estradas empoeiradas da Palestina, o Filho de Deus lidou com a incompreensão de seus irmãos, a rejeição de seus vizinhos e o abandono de seus amigos. Ele jamais escondeu seus sentimentos. Em vez disso, chorou diante do túmulo de Lázaro, irritou-se com os vendilhões no templo e comoveu-se com a rebeldia de Jerusalém. Em algumas dessas ocasiões, foi criticado pela maneira como expressou suas emoções.

Cristo permitiu, até mesmo, que seus discípulos testemunhassem sua agonia. Não ocultou dos apóstolos sua angústia, seu pedido para que o cálice passasse se fosse possível, seu suor que escorria como gotas de sangue. "Minha alma está profundamente triste, a ponto de morrer", ele lhes disse. "Fiquem aqui e vigiem comigo" (Mt 26.38). E quando seus amigos adormeceram, "apareceu um anjo do céu, que o fortalecia" (Lc 22.43).

Por fim, um Jesus ensanguentado tombou sob o peso da cruz ao caminhar pela Via Dolorosa. Simão, o Cireneu, foi obrigado pelos guardas a carregar o madeiro. Significativamente, o Redentor não recusou a ajuda. Horas mais tarde, o corpo sem vida de Cristo seria baixado da cruz por mãos caridosas e colocado em um sepulcro. Ali ele ficaria até que chegasse o domingo e, com ele, a mais gloriosa notícia de todos os tempos.

Todas essas passagens dos evangelhos nos mostram que Jesus, sendo Deus, abraçou a fragilidade humana. Curiosamente, nós, sendo humanos, muitas vezes tentamos fazer o contrário. Pronunciamos ou escutamos frases como: "homem não chora", "crente não sofre", "uma mulher de fé jamais terá depressão". Buscamos ser sobre-humanos. E talvez isso explique por que há entre nós tanta frieza e tanta enfermidade emocional.

Na década de 1980, um grupo musical evangélico chamado Rebanhão cantava uma música que dizia:

> Dentro de você
> Mora um coração
> Pequenininho e frágil
> Feito bolha de sabão

Há muito mais verdade nesses versos do que nas declarações triunfalistas que costumamos ouvir! Somos pequeninos e frágeis. Somos carentes, vulneráveis e limitados. Mas, se aceitássemos essa realidade, seríamos, também, pessoas mais saudáveis. Julgaríamos menos nossos semelhantes. Teríamos uma vida mais satisfatória. E nos relacionaríamos melhor com Deus.

Entrando na zona de perigo

A negação de nossa fragilidade não nos tornará mais santos, nem nos proporcionará maior alegria. Por outro lado, poderá desencadear muitos males. No Éden, a mentira contada pelo diabo foi de que os seres humanos poderiam ser iguais a Deus, e de que isso seria uma coisa boa. De lá para cá, já se passou muito tempo, mas ainda hoje há gente acreditando na mesma mentira e sofrendo com os efeitos negativos dessa atitude.

Um dos perigos a que a negação de nossa humanidade pode nos levar é a *presunção*: o distanciamento, com ares de superioridade, daqueles que não nos parecem ser tão bons quanto nós. Podemos nos tornar semelhantes ao fariseu da história contada por Jesus, o qual, desprezando o cobrador de impostos a seu lado, orava parabenizando a Deus por ter um servo tão dedicado quanto ele (Lc 18.9-14). Como é fácil ignorarmos nossos próprios pecados!

Outro grave perigo é o da *hipocrisia*: a tentativa de sustentação de uma máscara de perfeição e invulnerabilidade que, na verdade, não possuímos. Tal atitude tem afastado muitas pessoas do cristianismo. Ela também tem afastado muitos cristãos do Senhor. Nas palavras de Thomas Watson, "o hipócrita é um estrábico, pois olha mais para a sua própria glória do que para a glória de Deus".

Um terceiro mal que pode resultar da negação de nossa humanidade é o *esgotamento*: um estado de exaustão física, emocional e espiritual. Muitos homens e mulheres estão arrasados por terem se esforçado para alcançar um ideal inatingível. Na linguagem das Escrituras, eles se tornaram como uma cana quebrada ou como um pavio fumegante (Mt 12.20). Deus, entretanto, não rejeita essas pessoas. Ele olha com carinho para elas, intentando dar-lhes restauração.

E também poderíamos mencionar a *frustração*: um desapontamento com Deus que muita gente experimenta. Na verdade, aqueles que se decepcionam com Deus ficam desapontados pelo fato de ele não fazer coisas que jamais prometeu realizar. "No mundo vocês terão aflições", alertou o Mestre (Jo 16.33). O fato de nos tornarmos seguidores de Cristo não nos faz deixar de ser humanos ou de lutar com dificuldades.

Os quatro problemas mencionados acima poderão ser evitados se seguirmos o exemplo de Jesus, ou se nos lembrarmos da experiência de Paulo. Há ocasiões em que a maciez da carne se choca com a dureza do espinho. Quando isso acontece, o resultado é dolorido. Não existe vida sem sofrimento — seja ele mental, físico, emocional ou espiritual. Desde que o pecado entrou no planeta, isso é algo que faz parte da natureza das coisas. Mas a solução não nos alcançará na forma de um coração endurecido ou de um distanciamento autoprotetor. De fato, somos vulneráveis. Mas se há alguma angústia nisso, existe certa glória também.

Há algum tempo, visitei uma irmã querida, membro de minha igreja, que estava tendo dificuldades com o marido já idoso. No passado, ele havia sido um homem forte e ativo, poderosamente usado por Deus na propagação do evangelho. Agora, com a chegada da velhice, ele se mostrava alquebrado e frágil. Além de apresentar os movimentos lentos e de precisar lutar para equilibrar-se, sua mente, bastante confusa, exibia fortes sinais de deterioração.

— Meu coração se parte ao vê-lo desse jeito — ela disse. — Fico me lembrando da pessoa dinâmica que ele foi.

Estendi a mão até a estante, apanhei uma Bíblia que estava numa das prateleiras e li para ela a passagem de João 21.18-19. Ali Jesus afirma a Simão Pedro: "Eu lhe digo que isso é verdade: quando você era jovem, podia agir como bem entendia; vestia-se e ia aonde queria. Mas, quando for velho, estenderá as mãos e outros o vestirão e o levarão aonde você não quer ir". De acordo com o texto, "Jesus disse isso para informá-lo com que tipo de morte ele iria glorificar a Deus".

Após fechar a Bíblia, falei:

— Como a senhora pode ver, Pedro havia sido um homem muito ativo e independente, chegando a se destacar como líder dos discípulos. Mas Jesus predisse que chegaria um tempo em que sua energia iria se esvair. Quando isso acontecesse, Pedro teria de lidar com as limitações próprias da velhice. Suas forças decairiam, e sua mente perderia a acuidade. Ele passaria a depender da ajuda de outras pessoas até mesmo para realizar as tarefas mais simples. Seus movimentos ficariam restritos, e sua liberdade para ir e vir diminuiria.

Fiz uma pausa e continuei:

— Agora, o mais importante foi que Cristo lhe disse que, através de tudo aquilo, ele estaria glorificando a Deus. Da mesma forma como o nome do Senhor havia sido exaltado na vida do apóstolo quando ele era jovem e pregava com ousadia, o nome do Senhor seria exaltado por meio de sua fragilidade e dependência. Deus seria glorificado no sofrimento, na limitação e na vulnerabilidade de Pedro. Ele seria glorificado até mesmo por meio de sua morte, já idoso, como mártir.

Emocionada, ela balançou a cabeça e respondeu:

— Sim, é verdade. Também na vida do meu esposo o nome de Deus está sendo glorificado.

John Piper escreveu: "A glória de Deus, mesmo de modo turvo, é refletida na vida imperfeita de seus servos fiéis". Sejamos, portanto, fiéis a Deus, porque ele sempre permanecerá fiel a nós. Coloquemos diante do Pai celestial nossos anseios e nossas tristezas. Confessemos a ele nossas inquietações e nossos temores. Derramemos a seus pés nossas lágrimas. Exponhamos perante sua face nossas fraquezas. O Senhor verterá o unguento de sua misericórdia sobre a carne machucada pelo espinho. Ele nos reassegurará que, mesmo sendo como somos, podemos contar com seu amor. E assim, fortalecidos e renovados por sua bondade, chegaremos ao ponto em que poderemos dizer: "A tua graça me basta, Senhor".

4
Inclinação para o mal

A linha do mal não corre entre nações, mas traspassa o coração de todos nós.

ALEXANDER SOLJENÍTSIN

Existe uma história sobre um pastor que tinha chegado havia pouco tempo a determinada cidade. Sua congregação era pequena e formada por pessoas humildes. Por isso, sua condição financeira não era das melhores. Certa noite, quando voltava para casa, ele tomou um ônibus. Depois de pagar a passagem ao motorista e de tomar seu assento, verificou que o motorista havia se enganado no troco, dando-lhe cinquenta centavos a mais.

Nos minutos que se seguiram, o pregador passou a lutar com sua consciência. O que deveria fazer? Guardar o dinheiro para si? Comunicar ao motorista o que havia ocorrido? Várias coisas lhe passaram pela mente. Ele pensou que, afinal, estava em uma situação difícil, em que nem mesmo poucos centavos poderiam ser desperdiçados. Quem poderia saber se aquela não era uma forma de Deus ajudá-lo em sua necessidade? Além disso, as empresas de ônibus já tinham lucros suficientes, e uns míseros trocados não haveriam de lhes fazer falta.

Aquela luta interior durou vários minutos. Mas, quando finalmente chegou o ponto em que deveria descer, o homem já havia tomado sua decisão. Ele se levantou, dirigiu-se ao motorista e falou:

— Senhor, preciso lhe informar que me deu cinquenta centavos a mais no troco. Por favor, apanhe as moedas. Estou lhe devolvendo o dinheiro.

O motorista sorriu, pegou o dinheiro da mão que o pregador havia lhe estendido, e perguntou:

— O senhor é o novo pastor da igreja do bairro, não é?

— Sim — respondeu o outro com espanto.

— Como é que o senhor sabe disso?

O motorista falou:

— Eu soube que havia um pregador recém-chegado na cidade, e imaginei que fosse o senhor. Na verdade, tenho pensado em buscar mais a Deus, e fiz planos de ir até sua igreja para ouvir um dos seus sermões. Mas antes eu quis me assegurar de que o senhor era uma pessoa que vive o que prega. Foi por isso que eu, de propósito, lhe dei moedas a mais no troco. Queria saber qual seria sua reação.

Quando o pregador desceu do ônibus, parecia que o mundo havia desabado sobre sua cabeça. Seus ouvidos zuniam. Ele mal conseguia caminhar, ou até mesmo se manter em pé. Cambaleando, dirigiu-se até o poste mais próximo e abraçou-se a ele para não cair. E então, chorando copiosamente, exclamou:

— Meu Deus, meu Deus, perdoa-me! Quase que eu traio teu Filho por cinquenta centavos!

O que foi que deixou aquele homem tão aturdido? Ele havia descoberto um lado seu que não conhecia. Havia se decepcionado consigo mesmo. Havia enxergado quão perto chegara de fazer algo que ele próprio reprovava. Havia tido um contato imediato com a inclinação humana para o mal — aquilo que a Bíblia chama de "carne".

Muitos séculos antes, o apóstolo Paulo já havia identificado essa ameaça que espreita em nosso íntimo. Escrevendo aos cristãos de Roma, ele falou: "E eu sei que em mim, isto é, em minha natureza humana [ou 'carne'] não há nada de bom, pois quero fazer o que é certo, mas não consigo. Quero fazer o bem, mas não o faço. Não quero fazer o que é errado, mas, ainda assim, o faço. Então, se faço o que não quero, na verdade não sou eu quem o faz, mas o pecado que habita em mim" (Rm 7.18-20).

A origem da carne

Nas Escrituras Sagradas, a palavra "carne" não é usada apenas para descrever uma parte de nosso corpo, a identificação que temos com a raça humana ou nossa vulnerabilidade. Ela pode designar, também, nossa natureza caída e pecaminosa. A carne, nesse sentido, assinala o lado sombrio de nossa personalidade. Ela revela a disposição que temos para o mal. É uma inclinação que muitas vezes ignoramos, ou que tentamos esconder, minimizar ou justificar.

Tudo começou no Éden, quando Adão e Eva se defrontaram com a tentação. Eles haviam recebido do Senhor instruções claras que deviam seguir. Igualmente, tinham recebido do Criador o livre-arbítrio, e estavam capacitados a utilizá-lo de modo a resistir a qualquer investida de Satanás. Todavia, não foi isso o que fizeram. Nossos primeiros pais desobedeceram a Deus. Foi assim que o pecado entrou no mundo.

O pecado original trouxe desdobramentos terríveis em sua esteira, tais como o sofrimento, o conflito e a morte. Ele fez surgir, também, a carne — uma predisposição básica e inata para a perversidade. De acordo com a Bíblia, "quando Adão pecou, o pecado entrou no mundo, e com ele a morte, que se estendeu a todos, porque todos pecaram" (Rm 5.12).

De fato, "todos pecaram, e não alcançam o padrão da glória de Deus" (Rm 3.23).

Não demorou muito para que a carne provocasse grandes estragos no mundo e na humanidade. Poucas gerações depois de Adão e Eva, "o Senhor observou quanto havia aumentado a perversidade dos seres humanos na terra e viu que todos os seus pensamentos e seus propósitos eram sempre inteiramente maus" (Gn 6.5). Séculos mais tarde, o rei Davi escreveu: "Deus olha dos céus para toda a humanidade, para ver se alguém é sábio, se alguém busca a Deus. Todos, porém, se desviaram; todos se corromperam. Ninguém faz o bem, nem um sequer" (Sl 53.2-3). E seu filho Salomão complementou: "Não há uma única pessoa na terra que sempre faça o bem e nunca peque" (Ec 7.20).

Com o passar do tempo, outros servos de Deus se uniram aos autores bíblicos para denunciar a influência perniciosa da carne e a universalidade de seu alcance. "Há pecado até na nossa santidade; há incredulidade na nossa fé; há ódio no nosso próprio amor; há lama da serpente na mais bela flor do nosso jardim", escreveu Charles Spurgeon. Os que não conseguem enxergar essa verdade apenas revelam o embotamento espiritual que a carne é capaz de produzir. Jonathan Edwards afirmou: "O coração humano é cheio de pecado e corrupção; e a corrupção tem um efeito espiritual de cegueira. O pecado sempre carrega um grau de obscuridade. Quanto mais prevalece, mais ele obscurece e ilude a mente". Esses e outros cristãos valorosos alertaram quanto à necessidade de combatermos nossa inclinação para o mal. "Lembre-se de que agradar à carne é um grande desprezo e traição contra a alma", disse Richard Baxter. "Mortifique o pecado. Faça disso a sua labuta diária enquanto viver. Não termine nenhum dia sem lutar. Continue matando o pecado, ou ele o matará", escreveu John Owen.

Como um princípio dinâmico de pecaminosidade operando em nosso interior, a carne nos afasta de nosso Criador e nos aproxima da morte. Ela nos impulsiona a colocar nosso "eu" no centro da vida, ocupando um lugar que deveria pertencer unicamente a Deus. Essa natureza humana decaída é geradora de pecados e, por sua vez, pelo pecado é gerada. Desde a rebelião do primeiro casal, temos convivido com o egoísmo e a rebeldia dentro de nós. Eles estão entranhados em nossos pensamentos e emoções. Estão arraigados em nossos desejos e motivações. Estão impressos em nossa carne.

Como o gato e o galo

O Senhor Jesus Cristo também identificou a carne como inimiga da vontade de Deus e da felicidade dos homens. Ele afirmou: "Somente o Espírito dá vida. A natureza humana não realiza coisa alguma [ou 'a carne para nada aproveita']" (Jo 6.63). Ele falou que os seres humanos eram maus, já que a influência da carne contaminava com intenções ruins até mesmo seus melhores propósitos (Mt 7.11). E também nos deixou um conselho: "Vigiem e orem para que não cedam à tentação, pois o espírito está disposto, mas a carne é fraca" (Mt 26.41).

Infelizmente, a maioria das pessoas não está disposta a enfrentar as raízes do mal quando estas se acham encravadas em seu próprio coração. Criticam os membros da família, os políticos do país e até os irmãos da igreja, perguntando por que as coisas têm de ser sempre tão ruins. Mas não percebem quanto contribuem para as próprias dificuldades que desejam solucionar.

Certa vez, os editores do jornal *London Times* decidiram realizar uma ampla pesquisa. Enviaram uma correspondência a vários escritores e intelectuais, perguntando: "Em sua opinião, o que há de errado com o mundo?". Entre os pensadores contatados, estava o escritor cristão G. K. Chesterton. Foi ele quem enviou a resposta mais sucinta. Disse-lhes simplesmente:

Prezados Senhores:
Eu.
Atenciosamente,
G. K. Chesterton[1]

Sim, o problema somos nós! Russell Shedd escreveu:

Existe, nas profundezas do ser humano, uma perversidade tão característica como é da natureza do gato perseguir o rato, ou do galo cantar de madrugada. Essa corrupção cancerosa se propaga, contaminando nossos relacionamentos com o próximo (na forma de inveja, homicídio, furtos, adultério e dolo) e com Deus (na forma de soberba, independência e idolatria).[2]

Não é fácil reconhecermos nossa própria impiedade. Esse, porém, é o primeiro passo para lidarmos eficazmente com o problema. Davi escreveu: "Sou pecador desde que nasci, sim, desde que minha mãe me concebeu" (Sl 51.5). Ao contemplar a glória divina, Isaías exclamou: "Estou perdido! É o meu fim, pois sou um homem de lábios impuros!" (Is 6.5). E Pedro teve uma reação semelhante quando viu a manifestação do poder de Cristo, dizendo: "Por favor, Senhor, afaste-se de mim, porque sou homem pecador" (Lc 5.8).

Ao que tudo indica, quanto mais próximos estamos de Deus, mais tomamos consciência de nossa pecaminosidade.

Pela atuação persuasória do Espírito Santo — que nos convence do pecado, da justiça e do juízo — damo-nos conta de que em nossa carne não habita bem algum. Percebemos que a natureza humana contagia com motivações erradas todos os nossos atos. E então, quebrantados, somos levados a repetir a oração feita pelo cobrador de impostos: "Deus, tem misericórdia de mim, pois sou pecador" (Lc 18.13).

Cristãos carnais?

Não há como negar o fato de que existe algo errado com o ser humano. Alguns filósofos até tentaram contrariar as evidências, mas sem sucesso. O pensador francês Jean-Jacques Rousseau, por exemplo, afirmou: "O homem nasce bom; a sociedade é que o corrompe". Mas ele deixou de responder à pergunta: "E quem corrompe a sociedade?". Outro filósofo, o grego Sócrates, acreditava que a maldade não passava de ignorância, podendo ser extirpada por meio da educação. Certamente ele ficaria confuso ao constatar que a nação mais educada do mundo à época produziu os campos de concentração e as câmaras de gás.

A inclinação para o mal é uma realidade. É algo com que todos os homens têm de lidar. "Quando seguem os desejos da natureza humana [ou 'as obras da carne'], os resultados são extremamente claros: imoralidade sexual, impureza, sensualidade, idolatria, feitiçaria, hostilidade, discórdias, ciúmes, acessos de raiva, ambições egoístas, dissensões, divisões, inveja, bebedeiras, festanças desregradas e outros pecados semelhantes" (Gl 5.19-20). Induzidos pela carne, estamos propensos a sacrificar a correção pelo prazer, a rebelar-nos contra Deus e sua vontade, a ferir as pessoas pela satisfação de nossos deleites.

Esse era o problema dos cristãos de Corinto. Paulo lhes disse:

> Irmãos, quando estive com vocês, não pude lhes falar como a pessoas espirituais, mas como se pertencessem a este mundo [ou 'como a carnais'] ou fossem criancinhas em Cristo [...]. Porque ainda são controlados por sua natureza humana [ou 'ainda são carnais']. Têm ciúme uns dos outros, discutem e brigam entre si. Acaso isso não mostra que são controlados por sua natureza humana [ou 'que são carnais'] e que vivem como pessoas do mundo?
>
> 1Coríntios 3.1-3

O apóstolo não negava a conversão dos coríntios. De forma respeitosa, ele os chamava de irmãos. Reconhecia a obra que Cristo havia realizado na vida deles. Todavia, ainda que houvessem nascido de novo, aqueles homens e mulheres haviam deixado de crescer espiritualmente. Não tinham atitudes espirituais, e sim carnais. Ainda estavam sendo controlados por sua natureza humana. Ainda estavam vivendo como as pessoas do mundo.

Será que algo parecido poderia acontecer com o próprio Paulo? Ele tinha humildade suficiente para reconhecer seus conflitos e os perigos que os acompanhavam. Uma vez que Cristo havia entrado em sua vida e quebrado as correntes do mal, ele não era mais um escravo da velha natureza. Entretanto, o pecado estava sempre à espreita, e uma vida de santidade exigia constante vigilância. As maravilhosas bênçãos, privilégios e experiências que o apóstolo havia recebido do Senhor tornavam tal cuidado ainda mais necessário.

Outro cristão que se tornou um modelo de zelo para os fiéis de sua época foi o escocês John Knox, um reformador do século 16. Assim como Paulo, Knox admitia que precisava manter-se alerta contra as exigências da carne. Pouco antes de morrer, ele escreveu:

> Eu sei quão difícil é a batalha entre o espírito e a carne, sob a pesada cruz da aflição, na qual não há defesa mundana, e a morte está presente. Conheço as queixas relutantes e murmurações da carne. Conheço a raiva, a ira e a indignação que ela concebe contra Deus, colocando dúvida em todas as promessas divinas, e estando pronta, a todo momento, a se afastar de Deus. Contra a carne resta apenas a fé, que nos desafia a buscar e pedir com sinceridade a assistência do Espírito de Deus. Se persistirmos, ele transformará nossas calamidades mais desesperadoras em alegria, e nos dará um bom fim. É por experiência própria que falo e escrevo sobre isso.[3]

Paulo, Knox e outros grandes homens de Deus reconheceram suas lutas. Eles não tentaram manter o combate do espírito contra a carne escondido atrás das cortinas. Pelo contrário: trouxeram a batalha para o centro do palco, a fim de abençoar os irmãos de fé por meio de seu testemunho. Eles admitiram que existia uma guerra a ser travada. Mas deixaram claro, igualmente, que essa guerra poderia ser vencida. Deus já providenciou os recursos para que seus filhos não vivam segundo a carne.

Como vencer a carne

Tão importante quanto identificar um inimigo é utilizar as armas e estratégias corretas para enfrentá-lo. Ao longo dos séculos, muitos cristãos sinceros reconheceram as ameaças da natureza decaída, assim como a necessidade urgente de derrotá-las. Contudo, vários deles se enganaram ao imaginar de que maneira poderiam fazer isso.

Algumas pessoas acreditaram que uma vida de rigorosa

disciplina seria capaz de proporcionar-lhes a santidade desejada. Elas começaram a adotar e a impor uma série de proibições no seio da igreja. Mais uma vez, Deus levantou Paulo de Tarso para apontar o erro e corrigir os crentes. Ele escreveu aos cristãos de Colossos:

> Vocês morreram com Cristo, e ele os libertou dos princípios espirituais deste mundo. Então por que continuar a seguir as regras deste mundo, que dizem: "Não mexa! Não prove! Não toque!"? Essas regras não passam de ensinamentos humanos sobre coisas que se deterioram com o uso. Podem até parecer sábias, pois exigem devoção, abnegação e rigorosa disciplina física, mas em nada contribuem para vencer os desejos da natureza pecaminosa [ou 'da carne'].
>
> Colossenses 2.20-23

Antes de ter um encontro com Jesus, Paulo havia pertencido à seita dos fariseus, uma das mais rigorosas do judaísmo. Ele tinha buscado levar uma vida irrepreensível, observando inúmeras regras e interdições. Mas nada daquilo fizera dele um homem bom, salvo ou santo. O apóstolo sabia que as leis podiam mudar o comportamento de um indivíduo, mas não seu coração. Por isso, ele sempre alertava as pessoas quanto aos riscos do legalismo.

Se os procedimentos e proibições não têm valor no combate contra a satisfação da carne, quais são os recursos de que podemos lançar mão para vencer a batalha? Deus não deixou essa importante pergunta sem resposta. O Novo Testamento relaciona as armas com as quais podemos resistir à natureza humana pecaminosa e derrotá-la.

Antes de tudo, a vitória é alcançada por meio da *conversão*. O homem que não foi regenerado é, na pior das hipóteses, incapaz de enxergar o conflito espiritual, e, no melhor dos casos, impotente para vencê-lo. Mas quando alguém se entrega ao Salvador, é transformado em uma nova criatura, com uma nova natureza. De acordo com a Bíblia, "todo aquele que está em Cristo se tornou nova criação. A velha vida acabou, e uma nova vida teve início" (2Co 5.17). Os remidos possuem um coração transformado. Revestindo-nos do novo homem, somos capazes de resistir aos avanços da natureza perversa.

Em segundo lugar, a vitória é alcançada por meio da *capacitação*. Todo servo de Deus tem o Espírito Santo habitando seu interior. É ele quem nos habilita para enfrentar e derrotar a disposição para o mal. O apóstolo Paulo escreveu: "Deixem que o Espírito guie sua vida. Assim, não satisfarão os anseios de sua natureza humana [ou 'da carne']" (Gl 5.16). Quanto mais cheios do Espírito Santo estivermos, melhor nos sairemos na luta contra o mal.

Em terceiro lugar, alcançamos o triunfo por meio da *rendição*. Somos desafiados, todos os dias, a renunciar às solicitações de nossa disposição pecaminosa. A Escritura diz que "aqueles que pertencem a Cristo Jesus crucificaram as paixões e os desejos de sua natureza humana [ou 'da carne']" (Gl 5.24). Devemos buscar as coisas que fortalecem nossa nova natureza, e não aquilo que agrada o velho homem. A Bíblia exorta: "Revistam-se do Senhor Jesus Cristo e não fiquem imaginando formas de satisfazer seus desejos pecaminosos [ou 'não se ocupem da carne em suas concupiscências']" (Rm 13.14). Alimentar o espírito e deixar a carne morrer de fome: eis uma boa estratégia para vencermos a guerra espiritual!

Finalmente, a vitória é conquistada por meio da *provação*. É Tiago quem diz:

Meus irmãos, considerem motivo de grande alegria sempre que passarem por qualquer tipo de provação, pois sabem que, quando sua fé é provada, a perseverança tem oportunidade de crescer. E é necessário que ela cresça, pois quando estiver plenamente desenvolvida vocês serão maduros e completos, sem que nada lhes falte.

Tiago 1.2-4

O ensino bíblico é de que o Senhor usa as circunstâncias adversas para fortalecer nossa alma, impedindo assim que a natureza humana nos imponha prejuízos.

A *conversão*, a *capacitação*, a *rendição* e a *provação* são recursos que Deus utiliza para nos conduzir à vitória sobre nossa inclinação para o mal. Quando escreveu a seus irmãos de Corinto relatando a experiência que tivera, o apóstolo Paulo tinha essa verdade em mente. Em especial, ele reconhecia a importância da provação: a maneira como as dificuldades que enfrentava contribuíam para sua segurança, seu crescimento e sua santidade.

Se não fosse por nossa natureza desvirtuada, poderíamos ter visões e revelações do Senhor sem nos envaidecermos. Mas Paulo identificava, em si mesmo, a presença e os ataques da carne. Por isso, com humildade, reconhecia que Deus poderia permitir as adversidades tendo um propósito amoroso para sua vida. Aparentemente, essa compreensão não se deu de uma hora para a outra. Ela amadureceu ao longo de anos de experiência e depois de muitos questionamentos. Em particular, foi alcançada através da dura convivência que o apóstolo teve com um mensageiro misterioso que foi enviado para agredi-lo.

Paulo chamou esse mensageiro de "espinho".

5
O personagem misterioso

Senhor Jesus, eu não entendo o espinho, mas se a cruz é
o fim desse caminho, dá-me mais graça.

Paulo Cezar

A vida que vivemos e as lutas que travamos podem ser entendidas na forma de um drama envolvendo a carne, o espinho e a graça. O primeiro desses personagens nos foi apresentado nos capítulos anteriores. Ficamos sabendo que o termo "carne" tanto pode designar nossa gloriosa fragilidade quanto nossa inclinação para o mal. Aprendemos que é importante aceitarmos nossa vulnerabilidade ao mesmo tempo que combatemos nossa natureza pecaminosa. Agora, um segundo ator sobe ao palco e se coloca sob os holofotes. Somos apresentados ao personagem misterioso: o espinho.

O apóstolo Paulo escreveu: "Para evitar que eu me tornasse arrogante, foi-me dado um espinho na carne, um mensageiro de Satanás para me atormentar e impedir qualquer arrogância" (2Co 12.7). Essa rápida declaração na Segunda Carta aos Coríntios tem levantado uma discussão que atravessa os séculos. Ao depararem com essa passagem, os teólogos e estudiosos das Escrituras perceberam que estavam diante de um enigma. Afinal, o que seria o intrigante espinho na carne a que Paulo se referiu?

Tentativas de identificação

A palavra que o apóstolo utiliza no texto — e que, nas traduções para a língua portuguesa, aparece como "espinho" — é o vocábulo grego *skólops*. Em todo o Novo Testamento, o termo é usado unicamente nesse versículo. *Skólops* pode ser traduzido como "espinho". Mas também pode significar "farpa", "estaca", "aguilhão", "ferrão" ou "anzol". A ideia é de um objeto pontiagudo, feito de madeira ou de metal, que penetra na carne e produz sofrimento.[1]

O espinho na carne de Paulo era muito mais do que um simples incômodo. Era algo perturbador, um enviado de Satanás que esbofeteava o servo de Deus, um agressor impiedoso. Não era uma coisa produzida pela vontade do próprio apóstolo, e muito menos mantida por ela. Era algo de que Paulo gostaria de se ver livre se fosse possível. Algo que estava aferrado em seu íntimo e que de lá não se retirava de modo algum.

O que poderia ser esse mensageiro misterioso? Uma das teorias mais antigas visando explicar o significado do espinho na carne de Paulo é aquela que declara que ele convivia com fortes dores de cabeça. Para os que desposaram essa opinião, o apóstolo sofreria de enxaquecas severas que o deixavam prostrado e dificultavam seu trabalho. As dores lancinantes seriam experimentadas como bofetadas de Satanás, levando o missionário a um profundo abatimento. Dois teólogos dos primeiros séculos da era cristã, Tertuliano e Jerônimo, pensavam assim.

Já para outros estudiosos, o espinho a que Paulo se referiu seriam batalhas espirituais. Esses eruditos acreditavam que o servo de Deus se via às voltas com a tentação da dúvida e a vontade de evitar os deveres da vida apostólica. Nesse caso, ele sofreria com as pontadas de remorso que se apossavam de sua consciência quando cedia a essas inclinações. Esse era o ponto de vista defendido pelo reformador francês João Calvino.

Outra explicação proposta foi a de que o espinho na carne significava a perseguição que o missionário enfrentava por parte daqueles que não concordavam com seus ensinos e tentavam destruir seu trabalho. As ações desses opositores, que costumavam visitar as igrejas organizadas por ele a fim de difamá-lo, deixariam Paulo profundamente agastado. Ele os enxergaria como falsos apóstolos, enviados não pelo Senhor, mas pelo inimigo. Esse era o parecer do alemão Martinho Lutero.

Para outros, a luta de Paulo estaria associada à tentação sexual. Assim como os monges e eremitas que se mudavam para o deserto a fim de honrar seu voto de celibato, ele desejaria ver eliminados todos os seus desejos e impulsos sexuais. O espinho mencionado, segundo esse pensamento, seria a dor experimentada pelo apóstolo por não alcançar tal objetivo. Mesmo carecendo de fundamentação bíblica, esse ponto de vista prevaleceu por muitos anos, especialmente no meio católico.

Existe ainda a teoria de que o espinho na carne representava o remorso experimentado pelo apóstolo por haver perseguido a igreja de Cristo antes de sua conversão. Nesse caso, as aguilhoadas seriam sentidas na consciência de Paulo. O espinho se manifestaria na forma de lembranças dolorosas, que feriam os sentimentos do missionário através de sucessivos ataques do diabo exercendo seu papel de acusador. O comentarista G. R. Murray considerava essa possibilidade a mais provável.

Ainda outros estudiosos concluíram, de um modo não muito detalhado, que a sequela deixada pela experiência mística de Paulo seria um mal físico de natureza incômoda e humilhante. A princípio, ele teria pensado que tal desconforto poderia constituir um empecilho à eficiência de seu ministério. Mas depois, constatando que o problema nocauteava sua arrogância e o mantinha dependente da capacitação divina, teria mudado de ideia. Esse era o pensamento do teólogo F. F. Bruce.

Há também o entendimento mais específico de que o apóstolo sofreria de ataques recorrentes de um tipo violento de malária. A doença era comum nas costas orientais do Mediterrâneo e poderia ter sido contraída pelo servo de Deus em uma de suas numerosas viagens. Segundo os relatos, tal enfermidade produzia dores muito fortes, que poderiam ser comparadas à sensação de um espinho atravessando a carne. O comentarista William Barclay preferia essa alternativa.

Também atraídos para uma explicação envolvendo enfermidades físicas, existiram pregadores que sugeriram que Paulo seria vítima de uma doença debilitante desfiguradora, que prejudicava sua aparência e minava sua autoridade diante das pessoas. Essa era a opinião do capelão do senado norte-americano Peter Marshall.

Ainda no terreno das enfermidades, muitos foram levados a acreditar que Paulo sofreria de epilepsia. Nesse caso, os ataques dolorosos e recorrentes que caracterizam a doença não apenas representavam um incômodo, mas também constituíam uma fonte de constrangimento. Isso ocorreria porque, no mundo antigo, tais acessos eram com frequência atribuídos à ação de demônios. A romancista Taylor Caldwell tinha esse entendimento.

Existe também o pensamento de que o apóstolo sofreria de uma moléstia nos olhos, decorrente da visão que teve quando se aproximava de Damasco. Naquela ocasião, um forte clarão o envolveu, deixando-o temporariamente cego. Para os que advogam essa opinião, sua vista nunca teria se recuperado plenamente daquela experiência. Por isso Paulo costumava usar lenços, tinha de escrever usando letras grandes, não havia reconhecido o sumo sacerdote em seu julgamento, tinha dito que alguns crentes estavam dispostos a dar-lhe seus próprios olhos, e precisava ditar cartas para que seus colaboradores redigissem.

Na verdade, a lista de sugestões é incrivelmente extensa. Alguns são da opinião de que o espinho na carne estaria relacionado a aflições mentais como depressão, desânimo, dúvida ou falta de confiança. Outros pensam que Paulo se referia a desejos dos quais gostaria de ver-se livre e que insistiam em atormentá-lo. Também existe a teoria de que o sofrimento do apóstolo estaria ligado a marcas do apedrejamento que sofreu ou dos açoites a que foi submetido. Outros pensam que Paulo estaria se referindo à dificuldade que tinha para se comunicar. Alguns acreditam que o espinho na carne de Paulo seria seu temperamento. Também foi levantada a possibilidade de que o missionário estaria se referindo a tremores nas mãos, a problemas familiares, à dificuldade para se relacionar com as pessoas, aos encarceramentos pelos quais passava, às perseguições que sofria por pregar o evangelho ou à sua tristeza perante a incredulidade dos israelitas.

Dessa forma, as hipóteses se multiplicam. Nenhuma delas, entretanto, se apresenta de maneira conclusiva. No que tange à identidade do mensageiro enviado pelo diabo para perturbar Paulo, a única coisa que podemos afirmar com convicção é que não há interpretação acima de questionamentos.

Associando-nos com Paulo

A ambiguidade a respeito do espinho pode representar uma frustração para alguns. De modo particular, os mais curiosos entre nós talvez se sintam insatisfeitos com o fato de não elucidarem o mistério. Entretanto, a indefinição pode ser encarada como algo positivo. Se Paulo tivesse sido mais claro a respeito de sua provação, talvez encontrássemos dificuldade em nos associarmos com ele ao travarmos nossas próprias batalhas. Possivelmente, diríamos: "Bem, Paulo teve as suas aflições, mas o meu caso é diferente". Por isso, devemos ser gratos pelo fato de o apóstolo não ter sido mais específico. Ao deixar a questão em aberto, ele possibilitou que sua experiência nos abençoasse mais diretamente.

Vejamos um exemplo. O pastor anglicano John Stott disse que certa vez estava proferindo uma série de palestras na Universidade de Sidney quando, de repente, perdeu a voz. "Tínhamos chegado ao último dia, o domingo, e um tipo de micróbio me atacara fortemente", conta ele. "Meia hora antes do início da reunião, pedi a um dos alunos que lesse a passagem do 'espinho na carne' em 2Coríntios 12. Depois da leitura, ele orou por mim, e eu subi na plataforma. Chegado o momento da preleção, tudo o que consegui fazer foi crocitar o evangelho através do microfone num tom monótono. Ao final, depois de instruções singelas sobre como chegar a Cristo, fiz o convite, e houve resposta imediata e razoavelmente grande dos que estavam ali."

Stott, então, conclui seu relato, dizendo: "Já voltei à Austrália umas sete ou oito vezes desde então, e em todas essas ocasiões alguém veio a mim e me disse que havia se entregado a Cristo naquela noite".[2]

Sim, o poder de Deus continua se aperfeiçoando na fraqueza de seus servos! E o fato de Paulo não ter descido a detalhes no tocante a seu espinho possibilita que os leitores se identifiquem com ele, aplicando a descrição que fez de sua experiência aos desafios que eles próprios enfrentam. Foi isso o que fez John Stott ao perder a voz. E é isso o que temos feito muitas vezes, sempre que, ao sermos afligidos por circunstâncias fora de nosso controle, nos lembramos do desafio enfrentado pelo apóstolo dos gentios e nos identificamos com sua experiência.

O que sabemos com certeza?

As teorias com relação ao espinho na carne podem ser reunidas em três grandes grupos: a) o problema seria uma enfermidade física; b) o problema seria um conflito interior; c) o problema seria uma perseguição humana. Cada uma das ideias propostas parece se encaixar em uma dessas três linhas. Como vimos, nenhuma identificação exata pode ser feita, e isso, longe de ser um problema, é uma vantagem. Mas existem algumas certezas que podemos ter com relação ao personagem misterioso. Elas nos auxiliam em nossa associação com Paulo e na utilização de sua confidência para fortalecer-nos em nossos próprios dilemas.

Eis algumas coisas que podemos afirmar:

1) O outorgante do espinho era o próprio Senhor. Quando Paulo utilizou a expressão "foi-me dado", quis dirimir qualquer dúvida a esse respeito. O espinho havia sido dado por Deus, ainda que o agente direto da aflição fosse o demônio. O apóstolo acreditava que os sofrimentos poderiam ter um propósito espiritual. Ele também cria que a ação maligna poderia ser permitida a fim de que os objetivos divinos se cumprissem, como demonstrado na história bíblica de Jó. O inimigo, em sua ânsia por destruir Paulo, nada mais conseguiu com suas investidas do que o fortalecimento espiritual do apóstolo. Paulo olhou

por trás do espinho e identificou a ação de Satanás. Olhou por trás da ação de Satanás e enxergou a mão de Deus.

Ainda hoje, o Senhor pode permitir que soframos a fim de sermos abençoados. David Seamands escreveu: "A mão de Deus opera em tudo, até nas coisas aparentemente insignificantes, com o objetivo de realizar os sonhos que ele mesmo colocou para nós, e atingir os objetivos que ele estabeleceu para nossa vida". É só por isso que não cedemos à revolta nem somos derrotados. Como conclui Seamands, "a graça recicladora de Deus transforma nossas fraquezas, nossas emoções doentes e todo o lixo que há em nossa vida em meios de crescimento espiritual e instrumentos úteis para o seu serviço. Assim essas coisas deixam de ser maldições e passam a ser bênçãos".[3]

2) O espinho era motivo de grande perturbação. Ou, como disse o próprio autor, um mensageiro de Satanás para atormentá-lo. Fosse a dificuldade que afligia Paulo uma enfermidade física, um conflito íntimo ou um problema de relacionamento, era algo que o angustiava terrivelmente. O mensageiro de Satanás era uma coisa da qual o missionário gostaria de se livrar: "Em três ocasiões, supliquei ao Senhor que o removesse" (2Co 12.8). Se há uma prova de que pessoas consagradas a Deus também sofrem, ela pode ser encontrada na história de Paulo e seu espinho.

O amor de Deus não nos garante imunidade especial contra as tragédias, mágoas, dores e lutas do mundo em que vivemos. Se tentássemos medir o quanto o Senhor nos quer bem usando como régua as coisas que nos acontecem, cometeríamos um grande erro. Como disse E. Stanley Jones, "as mesmas tristezas sobrevêm a todos, inclusive aos cristãos. Entretanto, embora abatam o espírito de muitos, elas elevam o espírito daqueles que aprenderam o segredo de viver com Jesus".

3) O espinho não era causado por Paulo nem mantido por ele. Não era um pecado que costumava cometer, uma doença para a qual deixava de buscar tratamento, um vício ao qual se apegava ou um desentendimento que evitava superar. Paulo não tinha culpa. Não tinha opções. Não podia fazer nada além de orar. Portanto, se em algum momento afirmarmos que temos um espinho na carne semelhante ao que o apóstolo carregava, precisaremos estar certos de que não somos responsáveis pelo surgimento ou pela permanência da dificuldade que enfrentamos.

Não devemos chamar de espinho aquilo que a Bíblia chama de pecado, erro ou omissão. Isso precisa ficar muito claro. Não raro, pessoas têm se queixado de serem submetidas a provações quando, na realidade, apenas colhem o fruto de suas ações irrefletidas, de suas fantasias pecaminosas e de sua falta de disciplina. Será esse nosso caso? Tiago, o irmão do Senhor, escreveu:

> Quando vocês forem tentados, não digam: "Esta tentação vem de Deus", pois Deus nunca é tentado a fazer o mal, e ele mesmo nunca tenta alguém. A tentação vem de nossos próprios desejos, que nos seduzem e nos arrastam. Esses desejos dão à luz o pecado, e quando o pecado se desenvolve plenamente, gera a morte.
>
> Tiago 1.13-15

Em situações assim, a aflição não resulta de uma ação preventiva de Deus, e sim das concessões que fazemos à nossa natureza pecaminosa. Trata-se de algo muito diferente daquilo a que Paulo se referia.

Em resumo, o que podemos afirmar com certeza? Que o espinho na carne era algo outorgado por Deus, um motivo de grande perturbação e algo independente da vontade humana. Além desse ponto não podemos ir. E, de fato, não parece haver necessidade. Porque o apóstolo estava mais interessado em expor o resultado da maneira como o Senhor usara o espinho para abençoá-lo do que em falar sobre o problema em si.

Isso faz bastante sentido. Quando encontramos uma pérola de grande valor, não ficamos indagando sobre que agente agressor teria invadido a concha e machucado a ostra. O que fazemos é nos encantar com a beleza da joia, maravilhando-nos diante daquela linda expressão de poder do Criador. De igual modo, era para essa direção que Paulo desejava que seus leitores olhassem: não para a dor em si, mas para o que o Senhor podia criar a partir dela.

Um tríplice pedido

Antes de entender como Deus poderia usar sua dificuldade para abençoá-lo, Paulo orou, fervorosamente, para que o espinho fosse retirado de sua carne. Em três ocasiões ele suplicou ao Senhor que o removesse.

O missionário identificava seu problema, corretamente, como um ataque do inimigo. Por essa razão, via-se no pleno direito de desvencilhar-se dele. Além disso, imaginava que a extração do espinho lhe daria melhores condições para realizar seu trabalho e testemunhar do poder de Deus. Levando tudo isso em conta, e sendo um homem de fé e de oração, o apóstolo não hesitou em clamar aos céus por livramento. Na verdade, fez isso não apenas em uma ocasião. Ele orou por três vezes. E teria continuado a fazê-lo, não fosse por uma resposta que recebeu do Senhor: "Minha graça é tudo de que você precisa" (2Co 12.9).

O tríplice pedido de Paulo nos faz lembrar a paixão de Cristo e a oração no Getsêmani. Ao aproximar-se o momento de sua crucificação, o Salvador começou a experimentar uma tremenda angústia. Ele já podia vislumbrar os acontecimentos que se seguiriam: a traição de Judas, a fuga dos discípulos, os açoites dos soldados, a blasfêmia da multidão, a dor dos cravos, a humilhação da cruz. Já antevia a coroa de espinhos posta em sua cabeça, e o castigo pelos pecados da humanidade que seria derramado sobre ela.

De acordo com as Escrituras, Jesus começou a ficar muito triste. Ele se curvou com o rosto em terra e clamou: "Meu Pai! Se for possível, afasta de mim este cálice. Contudo, que seja feita a tua vontade, e não a minha" (Mt 26.39). Assim como Paulo faria alguns anos mais tarde, o Salvador formulou seu pedido três vezes. E, assim como na experiência do apóstolo, os espinhos não foram retirados do caminho do Filho de Deus.

Tanto Jesus quanto Paulo oraram três vezes para que algo fosse afastado, e em ambos os casos a remoção não foi concedida. Entretanto, do mesmo modo como Jesus foi fortalecido para poder enfrentar sua tribulação terrível e única, assim também Paulo foi sustentado em sua luta pessoal. Esses dois exemplos devem estar sempre em nossa mente e servir-nos de inspiração. Afinal, Deus pode livrar-nos das aflições, e quando isso acontece nós nos alegramos com o milagre recebido. Mas ele jamais prometeu que sempre faria isso. Se acharmos que podemos julgar o grau do amor de Deus por nós (ou a extensão de nossa fé nele) pelo modo como os eventos transcorrem, cometeremos um equívoco.

A experiência de oração de Paulo encontra eco na de Cristo, apontando tanto para a eficácia da prece quanto para a soberania de Deus. A oração sempre é eficaz, porque ela chega até o céu e o Senhor a escuta. Porém, isso não significa que ele nos responderá como queremos, porque a vontade dele é melhor do que a nossa, e seus desígnios são mais elevados do que os nossos (Is 55.8-9). Deus sempre responde às nossas orações. E, mesmo quando a resposta é negativa, ela reflete a boa, agradável e perfeita vontade do Senhor.

Conta-se a história de uma menina que lamentava não ter herdado os belos olhos azuis de seus pais. Ao ouvir, certa manhã de domingo, que Deus sempre escutava as orações feitas com fé, decidiu pedir a ele que alterasse a cor de seus olhos. Pouco antes de adormecer, foi exatamente o que ela fez. Mas, para sua decepção, descobriu no dia seguinte, ao olhar-se no espelho, que seus olhos continuavam sendo castanhos.

O tempo passou, e a garota esqueceu o acontecido. Chegando à idade adulta, tornou-se missionária na Índia. Ali ela passou a resgatar crianças que haviam sido vendidas pelos próprios pais para templos religiosos, nos quais estavam sujeitas a abusos e perigos. Para cumprir sua missão, a jovem precisava disfarçar-se e fazer-se passar por alguém daquele povo. Ela cobria a pele com pó de café, escondia os cabelos com um lenço e usava as mesmas roupas das mulheres locais. Desse modo podia mover-se sem levantar suspeitas e comprar de volta a liberdade das crianças.

Certo dia, ao vê-la vestida daquela forma, uma amiga lhe disse: "Puxa, como você ficou bem caracterizada! Eu quase não a reconheci! Já imaginou como seria difícil passar despercebida se tivesse olhos azuis como todas as pessoas de sua família? Ainda bem que o Senhor lhe deu belos olhos castanhos!". Naquele momento, a missionária se lembrou da oração que tinha feito quando era menina. Olhou, emocionada, para as duas crianças que havia resgatado naquele mesmo dia.

E agradeceu ao Senhor por não haver respondido à sua prece da maneira que ela esperava.

Em nossa própria vida, podemos deparar com situações semelhantes. O Pai celestial talvez tenha algo em vista que seja melhor do que aquilo que imaginamos. Ele pode decidir não passar nosso cálice ou não arrancar nosso espinho. Se isso vier a acontecer, qual deverá ser nossa atitude? Precisaremos reafirmar nossa confiança em Deus e conservar nossa fé nele. Foi o que Paulo fez. E nisso residiu sua vitória sobre seu enigmático agressor.

Devemos aprender com o exemplo do apóstolo. Precisamos lembrar que ter fé não é apenas acreditar no poder de Deus. É confiar, igualmente, no seu amor. Se nos posicionarmos dessa maneira, veremos muitos milagres. E também experimentaremos paz e alegria nos momentos em que os milagres não estiverem à vista.

6
Fraquezas e insultos

Somos chamados a ser bênção não a partir de nossa força, mas de nossa fraqueza.

DAVID SEAMANDS

Certa vez, quando criança, estava brincando de pique na casa de minha bisavó. Era uma noite quente de verão, e meus pais haviam levado a mim e a meus irmãos para uma visita. Outros familiares haviam tido a mesma ideia, o que fez que encontrássemos nossos primos e, também, as condições perfeitas para iniciarmos a brincadeira. O quintal era enorme, com muito espaço para correr e vários lugares para nos escondermos. Assim, enquanto os adultos conversavam, estávamos gastando nossas energias perseguindo uns aos outros.

Minha bisavó amava as plantas. O quintal estava sempre cheio delas. Existiam duas goiabeiras nas quais gostávamos de subir, e também pés de manga, abacate, jambo e romã. Os canteiros eram dedicados às perfumadas rosas e às simpáticas margaridas, ao passo que outros vegetais cresciam dentro de vasos de barro. Entre estes últimos, havia algumas variedades de cactos, que eram colocados bem próximos à varanda. Às vezes, as flores da minha bisavó sofriam com as ações das crianças, que passavam por cima delas durante a correria. Mas também havia ocasiões nas quais a natureza executava sua vingança.

Naquela noite, foi isso o que aconteceu. Virando-me para fugir em disparada de um dos meninos, trombei com um dos cactos que estavam nos vasos. A planta tinha, aproximadamente, minha altura. Foi um "abraço" perfeito! Ao separar-me do arbusto, estava coberto de espinhos da cabeça aos pés. Havia espinhos em meu rosto, em meus braços, em meu peito, em minhas pernas... em todo lugar! É claro que, para mim, aquilo significou o fim da brincadeira. Também significou, para minha mãe, o fim das conversas. Ela precisou vir em meu socorro e passar o resto da noite retirando, um a um, os espinhos do meu corpo.

O apóstolo Paulo concluiu seu relato sobre o espinho na carne fazendo o seguinte comentário: "Por isso aceito com prazer fraquezas e insultos, privações, perseguições e aflições que sofro por Cristo. Pois, quando sou fraco, então é que sou forte" (2Co 12.10). Essa passagem bíblica deixa claro que existem diferentes tipos de espinho. Embora todos eles se pareçam (causam dor, deixam-nos agoniados e podem ser usados por Deus para o nosso bem), não são exatamente iguais. Alguns nos alcançam na forma de fraquezas. Outros, de insultos. E também existem os espinhos das privações, das perseguições e das aflições.

Todos os espinhos com os quais deparamos em nossa vida resultam da ação de Satanás? Não necessariamente. No caso específico relatado por Paulo, o Maligno estava envolvido. Mas as adversidades podem brotar, simplesmente, do solo da existência. Caminhamos sobre a superfície de um mundo imperfeito, e nele há muita coisa capaz de nos machucar. Além disso, o próprio Deus pode submeter-nos a provas, a fim de preservar nossa alma e fortalecer nossa fé. Em todos esses casos, somos desafiados a responder corretamente às situações que se colocam à nossa frente.

Muitos de nós somos feridos por mais de um tipo de espinho. Nesse caso, a situação se mostra especialmente difícil.

A sensação é de que estamos sendo "espetados" por todos os lados! Assim como em minha experiência com o cacto de minha bisavó, percebemo-nos atingidos da cabeça aos pés, como se múltiplas agulhas penetrassem nossa carne e pusessem fim à nossa alegria. De fato, existem ocasiões em que nos sentimos como uma almofada de alfinetes, ou como se tivéssemos sido abraçados por um ouriço!

Quando o primeiro homem trouxe o pecado ao mundo, Deus pronunciou uma sentença. Ele disse: "Maldita é a terra por sua causa [...]. Ela produzirá espinhos e ervas daninhas" (Gn 3.17-18). Essa palavra teve seu cumprimento. Movemo-nos entre cardos e abrolhos, e eles, inevitavelmente, acabam nos ferindo. Dentre os espinhos que existem em nosso meio, os que mais nos perturbam são os espinhos da humanidade. Alguns deles se alojam em nosso corpo, outros em nossa alma, e outros, ainda, em nossos relacionamentos. Cada um traz sua própria dor e seu próprio desafio.

Quais são as variedades de espinho com as quais podemos nos chocar?

Fraquezas: os espinhos da insuficiência

Paulo inicia a lista de dificuldades que podemos enfrentar mencionando as fraquezas. Na opinião de alguns estudiosos, ele estaria usando essa palavra em um sentido bastante amplo, a fim de incluir todos os tipos de problemas existentes. Em seguida, o apóstolo apresentaria os insultos, privações, perseguições e aflições como diferentes espécies de fraquezas. Entretanto, o mais provável é que a intenção do autor nesse versículo tenha sido designar as fraquezas como uma categoria específica de provação, assim como as demais.

O termo utilizado no original grego é *asteneia*. Ele pode ser traduzido por "fraqueza", e também por "enfermidade", "incapacidade" ou "falta de vigor". Aparentemente, Paulo usa o vocábulo para se referir a qualquer situação em que se verifique ausência ou insuficiência de poder. Ele inclui, nessa categoria de espinho, cada uma das debilidades de nossa condição mortal.[1]

A fraqueza é o oposto da força. Ela abrange a gama completa da incapacidade corporal, emocional, social, econômica, intelectual, moral e espiritual dos seres humanos. Ela se torna evidente quando reconhecemos nossa falta de condições, de solidez e de resistência perante os embates da vida. Percebemo-nos fracos quando a saúde nos abandona e a doença se instala. Mas também quando cometemos erros, quando nos vemos incapazes de resolver um problema, ou quando somos consumidos pela angústia e depressão.

Os personagens da Bíblia fizeram questão de lembrar a si mesmos e aos outros de suas fraquezas. Reconhecendo sua limitação física e emocional, Jó exclamou: "Acaso tenho a força de uma pedra? Meu corpo é feito de bronze? Não!" (Jó 6.12-13). Jeremias, por sua vez, destacou a insuficiência moral das pessoas. Ele escreveu: "Acaso o etíope pode mudar a cor de sua pele? Pode o leopardo tirar suas manchas? De igual modo, você é incapaz de fazer o bem, pois se acostumou a fazer o mal" (Jr 13.23). Ainda no Antigo Testamento, o rei Ezequias expressou da seguinte maneira sua impotência diante das dificuldades: "Hoje é um dia de angústia, insulto e humilhação. É como quando a criança está prestes a nascer, mas a mãe não tem forças para dar à luz" (Is 37.3). E no Novo Testamento, Paulo enfatizou a fragilidade espiritual dos seres humanos, dizendo: "E o Espírito nos ajuda em nossa fraqueza, pois não sabemos orar segundo a vontade de Deus, mas o próprio Espírito intercede por nós com gemidos que não podem ser expressos em palavras" (Rm 8.26).

Como pastor, vejo-me frequentemente envolvido com as pessoas em suas fraquezas. Visito uma irmã querida em seu leito de hospital e encontro-a paralisada pela enfermidade, cercada de equipamentos e receosa quanto ao futuro. Vou à casa de irmãos da igreja cujo filho está envolvido com drogas e os vejo chorar, sentindo-se arrasados e impotentes. Converso com uma senhora que ficou viúva, e percebo-a se consumir de saudade. Recebo em meu gabinete um jovem em luta contra tentações sexuais, e o escuto pedir minha ajuda na forma de disciplina, intercessão e aconselhamento. Além disso, sou desafiado diariamente pelas minhas próprias fraquezas. A todo momento deparo com minha inaptidão para solucionar questões delicadas, dizer a palavra certa, parar de cometer velhos erros e ser o cristão que deveria ser.

O espinho da fraqueza nos machuca por confrontar-nos com nossa insuficiência perante as exigências da vida. As incapacidades, restrições, carências, impotências e faltas podem nos abater profundamente. São capazes de deixar-nos humilhados e de roubar nossa paz. Mas a verdade é que as fraquezas estão entre nós. Sendo assim, temos de descobrir como lidar com elas. Precisamos aprender a fazer de Deus a nossa força, a permitir que seu poder se manifeste em nossa limitação.

Quando Davi e Golias se encontraram no campo de batalha, todas as vantagens pareciam estar do lado do filisteu. Golias era um gigante de quase três metros de altura, um guerreiro experiente que já havia participado de muitas batalhas e derrotado vários inimigos. Além disso, possuía armas formidáveis e sabia como usá-las. Entretanto, havia algo a favor de Davi. O jovem israelita era capaz de enxergar a própria debilidade. Isso o levou a colocar sua confiança na verdadeira fonte de poder: Deus. Ele disse a seu oponente: "Você vem a mim com uma espada, uma lança e um dardo, mas eu vou enfrentá-lo em nome do Senhor dos Exércitos, o Deus dos exércitos de Israel, que você desafiou" (1Sm 17.45). No fim do combate, Golias estava morto, e Davi havia conquistado uma grande vitória.

O poder do Senhor se aperfeiçoa em nossa fraqueza. Nossas limitações não constituem um impedimento ao agir de Deus em nossa vida. Pelo contrário: elas fazem parte de sua estratégia! Somos débeis, é verdade. Nossa inteligência é restrita, nosso humor é instável, nosso corpo é frágil, nossa fé é pequena. Somos crivados de faltas e inaptidões. Mas o Senhor opera em nós com seu poder. Ele nos assegura que, se vivermos em sua dependência, seremos capazes de alcançar grandes realizações. Nossa suficiência vem de Deus (2Co 3.5).

Para sermos usados pelo Senhor, precisamos nos quebrantar debaixo de suas mãos. A fim de que o Espírito Santo nos encha, devemos reconhecer nosso vazio. A admissão de nossas deficiências é essencial para que isso aconteça. No caso específico de Paulo, foi permitido que sua dificuldade permanecesse. Sua restrição humana se tornou o meio pelo qual o poder divino pudesse operar, a arena na qual a vontade do Senhor viesse a se manifestar. Afinal, sua provação lhe havia sido dada para torná-lo humilde. E foi deixada ali para que, mediante sua fragilidade, o poder de Cristo repousasse sobre sua vida e se aperfeiçoasse nela.

Quando as dificuldades à nossa volta se chocam com as limitações em nosso interior, somos levados de modo mais profundo a recorrer ao Senhor em vez de confiar em nós mesmos. Tal fato concorre para nossa segurança. Mas não apenas isso. Também abre as portas para que vivamos as maiores e mais ousadas aventuras de fé. Isso deve nos servir de conforto e alimentar nossa esperança. O reconhecimento de nossa insuficiência pode contribuir para nosso fortalecimento espiritual. Nas palavras de F. B. Meyer, "todas as deficiências que temos, nós as temos pela permissão de Deus, a fim de que percebamos tudo o que Jesus pode ser para nós".[2]

Insultos: os espinhos da descaridade

Após mencionar as fraquezas, Paulo aponta os insultos como uma segunda variedade de espinho *na* carne e *para a* carne. Dessa vez, ele utiliza a palavra grega *ubris*. Ela pode ser vertida para o português como "insulto", e também como "injúria", "ultraje", "afronta", "abuso verbal" ou "insolência". O termo se refere ao tratamento público dado a uma pessoa com a finalidade específica de difamá-la e humilhá-la.[3]

Paulo teve de conviver com insultos durante a maior parte da vida. Os judeus descrentes não aceitaram seu testemunho, afirmando que ele estava delirando ou inventando coisas. Eles "difamaram Paulo e contestavam tudo que ele dizia" (At 13.45). Também os gentios incrédulos afrontaram o apóstolo. Eles chegaram a zombar de sua mensagem: "O que esse tagarela está querendo dizer?" (At 17.18). Certa vez, ao apresentar seu caso durante uma audiência, ele ouviu o governador Festo declarar: "Paulo, você está louco! O excesso de estudo o fez perder o juízo!" (At 26.24). Na mesma ocasião, o rei Agripa interrompeu-o com ironia, dizendo: "Você acredita que pode me convencer a tornar-me cristão em tão pouco tempo?" (At 26.28).

Além disso, Paulo teve de lidar com ataques que partiam de indivíduos que se diziam crentes. Houve vários momentos em seu ministério nos quais falsos apóstolos se dirigiram às igrejas organizadas por ele, tendo como objetivo minar sua autoridade e contradizer seu ensino. O missionário se referiu a eles como falsos irmãos, infiltrados no meio dos fiéis para espioná-los e furtar sua liberdade (Gl 2.4). As investidas daqueles homens causaram muita agitação e sofrimento. Geraram desgaste não só para Paulo, mas também para as comunidades cristãs.

Entretanto, isso ainda não foi o mais grave. O apóstolo dos gentios teve de lidar com injúrias no seio das próprias igrejas. Em Corinto, por exemplo, ele enfrentou uma severa oposição. Nem todos os membros daquela congregação estavam dispostos a aceitar sua liderança. Alguns de seus críticos buscavam desacreditá-lo e desmerecê-lo. Eles diziam: "As cartas de Paulo são exigentes e enérgicas, mas em pessoa ele é fraco e seus discursos de nada valem" (2Co 10.10). Certamente, aqueles eram os comentários que mais entristeciam o servo de Deus. As palavras descaridosas daquelas pessoas feriam-no profundamente.

"Paus e pedras podem quebrar meus ossos, mas palavras jamais me atingirão", afirma um ditado popular. Entretanto, todo mundo sabe que isso não é verdade. As palavras não apenas são capazes de nos ferir, elas podem fazer isso de maneira mais dolorosa e duradoura. "A língua tem poder para trazer morte ou vida", afirmou Salomão (Pv 18.21). Alguns séculos mais tarde, Tiago acrescentou: "Entre todas as partes do corpo, a língua é uma chama de fogo. É um mundo de maldade que corrompe todo o corpo. Ateia fogo a uma vida inteira, pois o próprio inferno a acende" (Tg 3.6).

Há muitas pessoas que se arrastam pela vida porque foram feridas por línguas afiadas. Episódios de *bullying* as deixaram traumatizadas. Calúnias ditas a seu respeito arranharam sua reputação. Comparações prejudicaram sua autoestima. Zombarias as envergonharam. Gritos as paralisaram. Afrontas partiram seu coração. O sarcasmo interrompeu suas iniciativas. As críticas as convenceram de que não eram capazes. Agressões verbais as fizeram pensar que ninguém as amava. Mentiras as desequilibraram. Injúrias as derrubaram. Ingratidões lhes tiraram a vontade de se levantar.

O que podem fazer aqueles que foram machucados pelo espinho dos insultos? O primeiro passo, certamente, é olhar para Jesus. Nosso Salvador também foi ultrajado, e enfrentou isso por nossa causa. "Ele nunca pecou, nem enganou ninguém. Não revidou quando foi insultado, nem ameaçou se vingar quando sofreu, mas deixou seu caso nas mãos de Deus, que sempre julga com justiça" (1Pe 2.22-23). A caminho da cruz o Filho de Deus foi escarnecido e ridicularizado. Não ouviu frases de encorajamento, e sim acusações. Foi golpeado não só pelos chicotes, mas também pelas ofensas. A tudo isso, o Senhor respondeu: "Pai, perdoa-lhes, pois não sabem o que fazem" (Lc 23.34).

Cristo não merecia ouvir as palavras cruéis que escutou. Portanto, quando sofremos afrontas, podemos derramar nossa alma diante de alguém que sabe exatamente como nos sentimos. Ele não nos julgará. Não minimizará nossos sofrimentos. Em vez disso, ele nos acolherá de forma compassiva e nos enxugará as lágrimas do rosto. Podemos encontrar grande consolo em meio aos insultos quando lembramos o que Jesus padeceu por nós. Ao sermos injuriados nós nos associamos ao Redentor e ficamos mais parecidos com ele. Tornamo-nos participantes de seus sofrimentos (Cl 1.24).

O segundo passo que devemos dar é lembrar-nos das palavras ditas por Deus a nosso respeito. Se escutarmos coisas que nos magoarem, será oportuno trazermos à memória aquilo que o Senhor falou de nós. Por que deveríamos dar mais crédito a seres humanos imperfeitos do que às declarações do Todo-poderoso? O Senhor diz: "Não tenha medo, pois eu estou com você; não desanime, pois sou o seu Deus. Eu o fortalecerei e o ajudarei; com minha vitoriosa mão direita o sustentarei" (Is 41.10). Ele nos reanima, afirmando: "Não tema, pois eu o resgatei; eu o chamei pelo nome, você é meu" (Is 43.1). Ele nos promete: "Nenhuma arma voltada contra você prevalecerá. Você calará toda voz que se levantar para acusá-lo" (Is 54.17). Quando cremos nessas afirmativas, nossas feridas são tratadas e nossas forças se renovam. Os intentos de Satanás são frustrados, e nos colocamos a caminho da vitória.

Em terceiro lugar, devemos pedir ao Pai que utilize toda forma de abuso verbal para aumentar nossa intimidade com ele, quebrantar nossa arrogância e fortalecer nossa fé. O Senhor é especialista em usar materiais ruins para construir coisas boas. Se colocarmos em suas mãos os insultos que recebemos, ele defenderá nossa causa. Mas isso não será tudo. Ele também se servirá das ofensas para firmar nossos pés e nos fazer prosperar.

As injúrias eram um espinho do qual Paulo, muitas vezes, desejou ver-se livre. Ele ficaria aliviado se Deus calasse seus inimigos e o poupasse das afrontas. Contudo, o apóstolo reconhecia que as críticas poderiam contribuir para sua humildade. Ele enxergava seu próprio orgulho esgueirando-se em seu interior como uma serpente escorregadia, aguardando uma oportunidade para derrubá-lo. Como alguém que havia recebido grandes revelações do Senhor, Paulo corria o risco de se exaltar. E ele sabia que, por mais agradáveis que fossem os elogios, eles não o protegeriam da vaidade. As injúrias, por outro lado, eram um remédio amargo, mas eficaz.

Na época do Império Romano, os generais que regressavam vitoriosos das batalhas eram recebidos com uma grande festa. Eles entravam triunfalmente na cidade, a fim de serem homenageados por toda a população. Seus adversários derrotados seguiam à sua frente, conduzidos por soldados que tinham provado seu valor no campo de batalha. Do alto dos edifícios de Roma, milhares de pessoas acenavam, atiravam pétalas de rosas e gritavam o nome do conquistador.

Depois de percorrer um longo percurso em cima de uma biga puxada por cavalos brancos, o general por fim chegava ao Senado. Ali recebia, das mãos dos senadores, a mais alta honraria dada a um cidadão romano: folhas de palmeira dispostas sobre uma bandeja de prata (a proverbial "salva de palmas").

Entretanto, havia um detalhe muito interessante naquela cerimônia. Durante todo o trajeto, um escravo fazia companhia ao militar sobre a biga. E, enquanto as multidões exaltavam o conquistador e celebravam suas façanhas, o escravo se aproximava de seu ouvido e lhe dizia, baixinho: "Lembra-te de que és mortal".

O objetivo daquele procedimento era proteger o combatente vitorioso dos perigos do orgulho. Os líderes romanos receavam que o general pudesse esquecer que era apenas um homem a serviço de seus concidadãos. Aclamado pelo povo e julgando-se invencível, poderia ensoberbecer-se e tornar-se um tirano. A função do escravo era não permitir que tal coisa acontecesse. Por isso, a todo o tempo ele repetia aos ouvidos do comandante: "Lembra-te de que és mortal".

A atitude correta de Paulo transformou as ofensas que recebeu em uma espécie de escravo que o ajudava. Por ter reconhecido o valor das provações, ele se serviu dos insultos para quebrantar-se e conservar-se dependente de Deus. O Senhor utilizou as palavras injustas ouvidas por seu servo para preservar e abençoar sua vida. Confrontando toda a oposição, o apóstolo realizou uma grande obra. Manteve-se fiel até o fim. Evitou qualquer forma de escândalo, e conquistou um lugar honroso. As palavras inclementes de seus opositores acabaram concorrendo para a proteção do servo do Senhor.

Podemos aprender com isso uma lição valiosa. Ao enfrentarmos críticas ou sermos difamados, qual deve ser nossa reação? Uma opção é nos deixarmos abater pelas afrontas. Podemos ceder à ira, à tristeza ou à amargura, e ser arrasados por elas. Mas outra possibilidade é fazermos das injúrias um lembrete de nossa fragilidade. Cada palavra áspera que escutamos pode chegar a nossos ouvidos com a mensagem: "Lembra-te de que és mortal". "Vigia para que não caias." "Jamais deixa de depender do teu Deus."

Alguns animais peçonhentos são capazes de provocar grandes danos à saúde, e até mesmo de causar a morte, por causa do veneno que possuem. Curiosamente, o antídoto que tem poder para salvar vidas é obtido da extração da peçonha desses próprios animais. As toxinas retiradas são usadas para produzir o soro que neutraliza os efeitos do veneno e permite a recuperação do organismo.

De modo semelhante, nós também, cada vez que adotamos a atitude correta para com o ferrão dos insultos, anulamos seu veneno e extraímos dele um poderoso medicamento. Isso vale para qualquer espécie de tribulação. "Não deveis fugir do sofrimento, nem apenas suportá-lo como a vontade de Deus; deveis usá-lo", escreveu E. Stanley Jones. A graça de Deus torna isso possível. Nossa disposição de confiar em seu amor faz a diferença no final.

7
Privações, perseguições e aflições

É maravilhoso que possamos partilhar dos sofrimentos de Cristo, e é mais maravilhoso ainda que ele partilhe dos nossos.

JOHN STOTT

Uma das passagens mais conhecidas da Bíblia é o capítulo 11 da Carta aos Hebreus. Nesse trecho — a que muitos dão o nome de "galeria dos heróis da fé" — são mencionados personagens do Antigo Testamento que se destacaram em sua caminhada com o Senhor. Abel e Noé têm lugar na lista. Abraão e Sara também estão lá. José, Moisés, Raabe e Davi são igualmente lembrados. Quando examinamos essa relação de homens e mulheres especiais, deparamos com algo que nos salta aos olhos. Percebemos que todos eles enfrentaram grandes lutas ao longo da vida.

Pela fé, eles conquistaram reinos, governaram com justiça e receberam promessas. Fecharam a boca de leões, apagaram chamas de fogo e escaparam de morrer pela espada. Sua fraqueza foi transformada em força. Tornaram-se poderosos na batalha e fizeram fugir exércitos inteiros. Mulheres receberam de volta seus queridos que haviam morrido.

Outros, porém, foram torturados, recusando-se a ser libertos, e depositaram sua esperança na ressurreição para uma vida melhor. Alguns foram alvo de zombaria e açoites, e outros, acorrentados em prisões. Alguns morreram apedrejados, outros foram serrados ao meio, e outros ainda, mortos à espada. Alguns andavam vestidos com peles de ovelhas e cabras, necessitados, afligidos e maltratados. Este mundo não era digno deles.

Hebreus 11.33-38

Privações, perseguições e aflições fizeram parte da jornada dos heróis da fé. As Escrituras não dizem que isso tenha acontecido devido a qualquer falha de caráter. Pelo contrário, ela afirma que o mundo não era digno daquelas pessoas. Talvez exatamente por essa razão elas tenham enfrentado tantos problemas. Mas também foi por isso que elas se sobressaíram e se tornaram uma inspiração. Sua fraqueza foi transformada em força.

Quando Paulo continua falando sobre os tipos de espinho, relaciona desafios que estiveram presentes na vida dos fiéis do passado e que se apresentam, igualmente, diante dos servos de Deus em nossos dias. Isso acontece porque a galeria dos heróis da fé ainda não está completa. Novos nomes estão sendo acrescentados todos os dias, conforme mais pessoas entregam o coração a Cristo e se tornam herdeiras dos céus.

Nossa herança como filhos de Deus inclui muitas alegrias, mas também adversidades, perturbações e angústias. Segundo a Bíblia, "é necessário passar por muitos sofrimentos até entrar no reino de Deus" (At 14.22). Isso não quer dizer que caminharemos por um vale de lágrimas. Mas significa que, em algum momento, depararemos com espinhos na estrada.

Vamos examinar alguns desses espinhos mais de perto.

Privações: os espinhos da escassez

Após citar fraquezas e insultos como variedades de espinhos, o apóstolo Paulo faz menção às privações. No original grego, a palavra utilizada é *anagke*, que pode ser vertida para o português como "privação", "necessidade", "calamidade" ou "fatalidade".[1] De acordo com o dicionário, privações significam "perda de um bem ou de uma vantagem; falta das coisas necessárias; passar grandes dificuldades".[2]

Durante os anos em que se dedicou à causa do evangelho, Paulo teve de suportar muitas privações. "Tenho trabalhado arduamente, horas a fio, e passei muitas noites sem dormir", disse ele. "Passei fome e senti sede, e muitas vezes fiquei em jejum. Tremi de frio por não ter roupa suficiente para me agasalhar" (2Co 11.27). Ele sabia o que era ser privado das coisas necessárias ou ter seus direitos negados. Os espinhos da escassez penetraram sua carne em mais de uma ocasião.

É novamente escrevendo aos coríntios que o apóstolo dos gentios abre o coração:

> Por vezes me parece que Deus colocou a nós, os apóstolos, em último lugar, como condenados à morte, espetáculo para o mundo inteiro, tanto para as pessoas como para os anjos. Nossa dedicação a Cristo nos faz parecer loucos, mas vocês afirmam ser sábios em Cristo. Nós somos fracos, mas vocês são fortes. Vocês são respeitados, mas nós somos ridicularizados. Até agora passamos fome e sede, e não temos roupa necessária para nos manter aquecidos. Somos espancados e não temos casa. Trabalhamos arduamente com as próprias mãos para obter sustento. Abençoamos quem nos amaldiçoa. Somos pacientes com quem nos maltrata. Respondemos com bondade quando falam mal de nós. E, no entanto, até o momento, temos sido tratados como a escória do mundo, como o lixo de todos.
>
> 1Coríntios 4.9-13

As situações relatadas por Paulo podem causar estranheza aos leitores modernos. Afinal, vivemos em uma sociedade de consumo, na qual o sucesso dos indivíduos costuma ser avaliado pelo conforto e abastança que desfrutam. Em semelhante contexto, muitos passaram a associar o amor de Deus à prosperidade, achando que a fidelidade ao Senhor deveria ser invariavelmente recompensada com saúde e riqueza. Entretanto, esse não é o ensino do Novo Testamento. Seguimos um Rei que não tinha onde reclinar a cabeça. Seus primeiros discípulos foram perseguidos e se tornaram mártires. E, ao longo dos séculos, muitos de seus seguidores enfrentaram formas diversas de dificuldade.

Podemos tomar como exemplo a vida de John Bunyan, autor do livro *O peregrino*. Ele redigiu sua obra durante o período de doze anos em que esteve preso por pregar a Palavra de Deus. Aqueles foram dias difíceis. Por causa de sua fé ele foi privado da liberdade e teve de ficar afastado da família. Todavia, nenhuma murmuração jamais saiu de seus lábios. Passados vários séculos, o nome daqueles que tentaram silenciar sua voz caiu no esquecimento. O livro que ele escreveu na prisão, por sua vez, continua a encorajar milhares de cristãos e é um dos mais lidos em todo o mundo.

Bunyan acreditava que as necessidades ocupavam um lugar importante no progresso espiritual dos filhos de Deus. "É a vontade do Senhor que aqueles que vão para o céu cheguem lá de forma custosa ou com provações. É com dificuldade que o justo se salva", costumava dizer. Por pensar dessa maneira, em vez de encarar as adversidades como algo estranho à sua peregrinação, ele buscou enfrentá-las com ousadia e confiança. Bunyan dedicou suas lutas a Jesus Cristo como uma oferta de amor e gratidão. Em consequência disso, viu ser produzida, através das provas por que passou, uma pérola de grande valor.

Não é incomum depararmos com a escassez em trechos de nossa caminhada. Às vezes perdemos a saúde e nos vemos lidando com os desafios característicos da enfermidade. Em outros momentos somos privados de companhia, e então sofremos com a saudade e a solidão. Há ocasiões em que a falta é de conforto físico, recursos financeiros, sustento, atenção, sono, justiça, emprego, reconhecimento ou tranquilidade. Em nenhuma dessas horas, porém, nos faltam a presença e o encorajamento de Cristo.

De que maneira devemos nos portar nos momentos de escassez? Bem, certamente não somos obrigados a gostar das perdas ou das necessidades. Não existe nada de masoquista na mensagem do evangelho! Entretanto, não precisamos deixar que as privações nos roubem a paz. Devemos sempre lembrar que o mais importante — o amor de Cristo — jamais nos será tirado.

Todas as provas que enfrentamos, em maior ou menor grau, são passageiras. As alegrias da salvação, por sua vez, nos acompanharão pela eternidade. Essa lembrança poderá nos ajudar a enfrentar e vencer as provações, como Paulo fez. Mesmo após descrever os percalços da vida apostólica, ele escreveu:

> Aprendi a ficar satisfeito com o que tenho. Sei viver na necessidade e também na fartura. Aprendi o segredo de viver em qualquer situação, de estômago cheio ou vazio, com pouco ou muito. Posso todas as coisas por meio de Cristo, que me dá forças.
>
> Filipenses 4.11-13

Perseguições: os espinhos da agressão

A quarta variedade de espinho mencionada em 2Coríntios 12.10 são as perseguições. Dessa vez, o apóstolo utiliza a palavra grega *diogmos*. Ele se referia a maus-tratos deliberados recebidos da parte de inimigos do cristianismo, na forma de espancamentos, apedrejamentos, encarceramentos e outros tipos de agressão.[3]

As perseguições sempre estarão presentes na vida dos servos de Deus. Elas podem variar de intensidade, indo desde insinuações sutis até ameaças de morte. Vemos a perseguição com clareza na experiência da igreja sofredora. Comovemo-nos diante das imagens de templos sendo incendiados e de cristãos sendo martirizados por causa da sua fé. De várias partes do mundo nos chegam relatos sobre homens e mulheres de Deus que são aprisionados, torturados e mortos por não negarem o nome de Jesus. Mas a perseguição também se faz presente perto de nós. Ela se manifesta por meio das zombarias enfrentadas pelos crentes na escola ou faculdade, da discriminação sofrida no local de trabalho, e até mesmo das palavras ásperas que são pronunciadas no seio das famílias.

O Salvador nos avisou que seríamos confrontados por opositores. "Uma vez que eles me perseguiram, também os perseguirão", disse ele (Jo 15.20). "Todos os odiarão por minha causa" (Mt 10.22). Entretanto, também deixou claro que essas tribulações não deveriam ser motivo de desespero: "Felizes são vocês quando, por minha causa, sofrerem zombaria e perseguição, e quando outros, mentindo, disserem todo tipo de maldade a seu respeito. Alegrem-se e exultem, porque uma grande recompensa os espera no céu" (Mt 5.11-12).

Já no primeiro século as perseguições acompanharam a igreja. Estevão se tornou o primeiro mártir, e a ele se seguiram muitos outros. Os apóstolos sofreram maus-tratos e selaram com sangue o testemunho de sua fé. O próprio Paulo foi duramente perseguido, e em mais de uma ocasião teve de fugir da cidade na qual estava pregando para não ser morto. Por causa de sua lealdade a Cristo ele foi preso, agredido, acorrentado, açoitado e apedrejado. "Todos que desejam ter uma vida de devoção em Cristo Jesus sofrerão perseguições", escreveu (2Tm 3.12).

De fato, Paulo conheceu o gosto amargo da perseguição e carregou por muitos anos as marcas das agressões de que foi vítima. "Levo em meu corpo cicatrizes que mostram que pertenço a Jesus", afirmou certa vez (Gl 6.17). Na época em que o Novo Testamento foi escrito, era comum que os escravos levassem marcas visíveis em sua pele — as chamadas *stigmata*. O nome dos donos daqueles escravos era gravado a ferro em sua carne, a fim de que todos soubessem a quem eles pertenciam. De modo semelhante, o apóstolo dos gentios afirmava levar, em seu corpo, estigmas resultantes dos ataques sofridos. Aquelas cicatrizes haviam se tornado, para ele, um motivo de honra. Elas reafirmavam o fato de que ele pertencia a Cristo.

Uma vez que as perseguições sempre farão parte da experiência cristã, qual deverá ser nossa postura diante delas?

Primeiramente, devemos assumir o compromisso de orar de forma constante e fervorosa pela igreja sofredora ao redor do mundo. "Lembrem-se dos que estão na prisão, como se vocês mesmos estivessem presos. Lembrem-se dos que são maltratados, como se sofressem os maus-tratos em seu próprio corpo", recomenda a Palavra de Deus (Hb 13.3).

Em segundo lugar, precisamos nos revestir de coragem e enfrentar nossas próprias lutas. Devemos seguir em frente, sempre firmes, recordando que "é melhor sofrer por fazer o bem, se for da vontade de Deus, do que por fazer o mal" (1Pe 3.17).

Finalmente, devemos permitir que as agressões sofridas por causa de nossa fé se tornem instrumentos usados por

Deus para nosso crescimento espiritual. "O desespero é o sofrimento sem propósito", escreveu Viktor Frankl. Se enxergarmos as tribulações como oportunidades de testemunharmos de nossa fé e de aprofundarmos nossa comunhão com Deus, saberemos que não estamos sofrendo em vão.

Paulo descobriu que as perseguições poderiam ser usadas pelo Senhor para um propósito elevado. Tal compreensão o ajudou a lidar corretamente com as investidas de seus adversários. O Senhor quer nos ajudar a encarar da mesma maneira as agressões que sofremos. Ele deseja reverter os golpes que chegam até nós, usando-os para sua glória e nossa felicidade. Permitamos, pois, que as injustiças, traições, ingratidões e ataques se transformem em recursos úteis nas mãos de Cristo.

Aflições: os espinhos do estreitamento

O último tipo de espinho mencionado no relato de Paulo são as aflições. A palavra utilizada para se referir a elas é *stenochorias*, que pode ser traduzida por "aflição", "angústia", "estreiteza", "constrição", "tribulação" ou "apuro".[4] Os gregos utilizavam esse termo para se referir a um estreito desfiladeiro que precisava ser atravessado, ou à sensação de peito apertado que costumamos experimentar quando estamos apreensivos, ou ainda à condição de ver-se encurralado em um beco sem saída.

A aflição é uma espécie de claustrofobia emocional. Quando estamos angustiados, experimentamos um nó na garganta e um aperto no peito. Sentimo-nos abafados e sufocados, e encontramos dificuldade para respirar. É como se as paredes da vida se fechassem sobre nós, prendendo-nos e apertando-nos em seu interior. Somos tomados por sentimentos como insegurança, desgosto, preocupação e ansiedade.

Vários personagens da Bíblia passaram por instantes de angústia. Basta nos lembrarmos de Abraão seguindo para o monte Moriá a fim de sacrificar seu filho Isaque, ou de Jacó caminhando para reencontrar seu irmão Esaú, ou de Oseias lamentando as infidelidades de sua esposa Gômer. Quando lemos o salmo 51, encontramos o rei Davi aflito perante o reconhecimento de seus pecados. Ao examinarmos o salmo 73, deparamos com o músico Asafe atônito diante da aparente impunidade dos maus.

No Novo Testamento, o auge da aflição humana foi testemunhado no monte das Oliveiras. Ali Jesus suou gotas de sangue antevendo seu sacrifício. Atacado por Satanás e todos os demônios, abandonado pelos discípulos que não foram capazes de vigiar ao seu lado, e ainda procurado pelos opositores que desejavam prendê-lo e executá-lo, o Filho de Deus rendeu corajosamente sua vida.

Mais do que o sofrimento físico da cruz, o que angustiava o Salvador era a aproximação do momento em que os pecados da humanidade seriam colocados e castigados sobre ele (Is 53.5). Para nossa redenção, Jesus sorveu aquele cálice de dor até a última gota. "Deus fez de Cristo, aquele que nunca pecou, a oferta por nosso pecado, para que por meio dele fôssemos declarados justos diante de Deus" (2Co 5.21).

Como um seguidor de Jesus Cristo, Paulo também viveu experiências de aflição. Ele reconhecia os erros do passado, e dizia: "Sou o mais insignificante dos apóstolos. Aliás, nem sou digno de ser chamado apóstolo, pois persegui a igreja de Deus" (1Co 15.9). Ele percebia a recusa de muitos israelitas em receber o Salvador, e afirmava: "Meu coração está cheio de amarga tristeza e angústia sem fim por meu povo, meus irmãos judeus. Eu estaria disposto a ser amaldiçoado para sempre, separado de Cristo, se isso pudesse salvá-los" (Rm 9.2-3). Ele observava aqueles que tentavam introduzir heresias no seio das igrejas, e lamentava: "Digo novamente com lágrimas nos olhos, há muitos cuja conduta mostra que são, na verdade, inimigos da cruz de Cristo" (Fp 3.18). O apóstolo também se preocupava com a saúde espiritual das congregações cristãs. Ele escreveu: "Sobre mim pesa diariamente a preocupação com todas as igrejas. Quem está fraco, que eu também não sinta fraqueza? Quem se deixa levar pelo caminho errado, que a indignação não me consuma?" (2Co 11.28-29).

Assim como aqueles servos de Deus do passado, nós igualmente nos vemos diante de momentos de aflição em nossa vida. Existem horas nas quais nosso coração se inquieta por causa das preocupações, dos lamentos, das perdas e das ameaças. Chegamos a ficar receosos quanto ao futuro, e até a questionar a própria sobrevivência.

A verdade é que a vida traz suas exigências. Se fôssemos estabelecer uma comparação, diríamos que ela não se parece com um lago ou uma piscina, e sim com um rio caudaloso. Às vezes, esse rio se estreita. Adentramos uma garganta formada por angústias e dificuldades. Nessas horas, as águas se tornam agitadas. Elas se chocam contra as pedras, levantam espuma e formam redemoinhos. E nós, arrastados pela correnteza e mergulhados no turbilhão, chegamos a pensar que não iremos resistir. Contudo, isso não é o fim. A história não acaba nesse ponto, porque o rio não para de correr.

À medida que o rio da vida avança, novas situações se apresentam. E, a certa altura, descobrimos que o desfiladeiro ficou para trás. O leito se alarga, e a água volta a fluir de maneira suave. As corredeiras cedem lugar a um remanso tranquilo. E então nos vemos conduzidos até uma encantadora praia de areias brancas, rodeada de árvores e de pássaros. As lutas são superadas, e experimentamos uma grande paz. Nesse instante, damo-nos conta de que valeu a pena enfrentar a turbulência. Sentimo-nos felizes por não havermos desistido ao longo do percurso. E agradecemos ao Senhor por ter ficado conosco e nos proporcionado esse momento especial.

"'Porque eu sei os planos que tenho para vocês', diz o SENHOR. 'São planos de bem, e não de mal, para lhes dar o futuro pelo qual anseiam'" (Jr 29.11). O Senhor conhece os planos que tem para nosso futuro, mas nós não conhecemos. Deus sabe o tempo todo para onde está nos levando, mas nós só descobrimos quando chegamos lá. De uma coisa, porém, podemos estar certos: os dias de aperto não significam o fim da linha. O Criador tem estabelecido projetos maravilhosos para quem confia nele. A angústia não durará para sempre. Experiências incríveis nos aguardam. Vale a pena encarar as aflições e vê-las ficar para trás com a ajuda de Deus.

Isso nos leva a algumas considerações finais a respeito dos espinhos. Quer nos firam as dores das fraquezas, dos insultos, das privações, das perseguições ou das aflições, podemos ter cinco coisas em mente:

A primeira verdade que devemos considerar é que Jesus sabe como nos sentimos, porque enfrentou situações semelhantes. A segunda é que o Salvador está sempre conosco, fortalecendo-nos nas horas difíceis. A terceira é que nossas provações são uma oportunidade de crescimento espiritual e de adoração ao Pai. A quarta é que para cada luta o Senhor tem prometido uma vitória. E a quinta é que jamais somos esquecidos, porque tudo aquilo que nos fere atinge, também, o coração de Deus.

Na Grécia antiga, as pessoas acreditavam que os deuses eram indiferentes àquilo que acontecia com os mortais. Elas chamavam essa característica de *apatheia*. Tal apatia dos deuses significava que eles eram incapazes de sofrer pelos homens ou mesmo de se importar com eles. Como é diferente o ensino das Escrituras! Quando a Bíblia Sagrada fala sobre o Deus verdadeiro, apresenta-nos a alguém que nos ama e se preocupa conosco. O Senhor não apenas conhece nossa dor. Ele a experimenta.

"Isso vai doer mais em mim do que em você", costumavam dizer nossos pais quando precisavam nos disciplinar ou tinham de nos levar para algum procedimento médico. Essa frase se aplica muito bem ao nosso Pai celestial. Ainda que o Criador possa permitir o sofrimento na vida de seus filhos e usá-lo para sua bênção, jamais considera isso algo de pouca importância. A Bíblia afirma que "em todo o sofrimento deles, ele também sofreu" (Is 63.9). Ela nos assegura que aquilo que nos fere machuca o coração de Deus. "Quem lhes faz mal, faz mal à menina dos meus olhos", diz o Senhor (Zc 2.8).

A caminho do Gólgota, nosso Salvador foi afligido pelos espinhos de uma coroa colocada em sua cabeça. Ainda hoje, ele é ferido pelos espinhos que atravessam a carne daqueles a quem ele ama. "Pois não tem prazer em afligir as pessoas, nem em lhes causar tristeza" (Lm 3.33). Sendo assim, que não haja em nosso espírito lugar para indignação ou revolta. Não pensemos, nem por um momento, que fomos esquecidos pelo Senhor. Não julguemos que ele seja indiferente a qualquer coisa que nos acontece.

Fomos chamados a participar dos sofrimentos de Cristo. Mas jamais nos esqueçamos de que ele, igualmente, participa dos nossos.

8
A graça entra em cena

Tudo é pela graça na vida cristã, do começo ao fim.

D. Martin Lloyd-Jones

Um problema pode contribuir para o amadurecimento de uma pessoa, e as dificuldades enfrentadas por um indivíduo podem fazer dele alguém mais feliz. O poder de Deus é capaz de se aperfeiçoar na fraqueza de seus filhos, e toda lágrima carrega consigo o potencial para se transformar em um sorriso. As batalhas podem se tornar vitórias, e os lamentos podem se converter em cânticos. A fim de que essas coisas aconteçam, entretanto, precisamos contar com algo fundamental.

Em uma de suas peças, William Shakespeare escreveu que "a vida é uma história contada por um idiota, cheia de som e fúria, e sem significado algum". Muitas pessoas concordariam com ele. Normalmente, essas pessoas só conseguem enxergar a fragilidade de sua natureza e a severidade de suas circunstâncias. Diante desse quadro, elas sentem que não há muito que esperar além de injustiça e dor, de agressão e perda, de som e fúria.

Muitos sofredores tombam sob o peso das aflições, ao mesmo tempo que outros se tornam amargos no processo de enfrentá-las. Alguns deixam até mesmo de acreditar em Deus. Também há aqueles que, embora não cheguem tão longe, esfriam na fé e se afastam do Senhor, passando a olhá-lo com desconfiança. As provações têm gerado uma grande multidão de desiludidos e ressabiados. Para esses homens e mulheres, as lutas não parecem ser uma bênção, e sim uma maldição.

Desse modo, fica claro que a carne e o espinho, sozinhos, não levam ninguém a um final feliz. Contudo, não teriam Shakespeare e os que pensam como ele ignorado a existência de uma força maior?

Ao vivenciar seu drama pessoal, a atenção de Paulo de Tarso concentrou-se, a princípio, na carne e no espinho. Ele reconheceu sua condição humana e identificou o mal que o atormentava. Em seguida, chegou à conclusão de que os dois precisavam ser separados. Estava convencido de que o espinho tinha de ser extraído de sua carne se quisesse ser um homem feliz. Foi por isso que orou três vezes pedindo ao Senhor que desse um fim àquilo que o inquietava. Queria ver seu problema resolvido.

Esse também costuma ser nosso modo de agir quando deparamos com situações adversas. Nosso primeiro impulso é pedir a Deus que remova a dificuldade que nos perturba, porque então a questão estará encerrada. Se o que nos fere é uma doença, suplicamos que seja curada; se o que nos tira a paz é o envolvimento de um filho com más companhias, solicitamos que seus olhos se abram; se o que nos parte o coração é o fim de um relacionamento, imploramos que seja refeito; se o que nos faz chorar é a perseguição de um adversário, pedimos que seja silenciado. Clamamos aos céus por ajuda, e ficamos aguardando que o obstáculo seja removido.

Cristo, entretanto, lembrou a Paulo que existia algo mais. Ele fez o apóstolo ver que havia um terceiro personagem no drama de sua vida. Existia um ator capaz de introduzir uma grande mudança no enredo, e até mesmo de determinar seu desfecho sem eliminar a existência dos outros dois. A palavra de Jesus chegou a Paulo de uma forma transformadora. Ela renovou seu ânimo, abriu seus olhos, corrigiu seu rumo e alegrou sua alma.

Foi assim que a graça entrou em cena.

Favor imerecido

Conta-se que, certa vez, o escritor C. S. Lewis chegou ao auditório de um congresso no momento em que se travava um acalorado debate. Vários teólogos e intelectuais discutiam sobre o que distinguiria a fé cristã das demais religiões. "A respeito do que é a confusão?", ele perguntou enquanto se sentava. "Estão tentando estabelecer qual seria a crença exclusiva do cristianismo", disseram seus colegas. "Essa é fácil", respondeu C. S. Lewis. "É a graça."[1]

Realmente, a doutrina da graça é o que separa a fé cristã de todas as outras formas de expressão religiosa. Ela é o coração e a própria essência do cristianismo. A graça está no centro daquilo que conhecemos como evangelho, ou seja, das boas-novas de Deus para a humanidade. É um conceito tão extraordinário que poderíamos resumir todas as religiões existentes em apenas duas: a que ensina que somos salvos pelas nossas obras e a que afirma que somos salvos pela graça de Deus.

"Minha graça é tudo de que você precisa", disse Jesus a Paulo respondendo a suas orações (2Co 12.9). A palavra "graça" é a tradução do termo grego *charis*, que significa "favor imerecido". Ela é usada nas Escrituras para se referir à bênção livremente dada por Deus ao homem, não como um pagamento ou recompensa, mas como expressão de seu amor. Ela assinala uma convicção que se encontra no âmago da teologia e da experiência cristãs.[2]

Robert Louis Stevenson afirmou: "Nada nos sustenta, a não

ser a graça de Deus. Andamos sobre ela; nós a respiramos; vivemos e morremos por ela; ela forma os eixos e os encaixes do universo". Henry Law declarou: "O amor eterno elaborou o plano; a sabedoria eterna traçou o modelo; a graça eterna desceu para executá-lo". Donald Barnhouse escreveu: "O amor que se eleva é adoração; o que vai para fora é afeição; o amor que se inclina é graça".

Graça é o amor de Deus agindo em nosso favor, concedendo-nos seu perdão e sua companhia. As manifestações da graça são fruto da bondade do Senhor, e não uma resposta a qualquer mérito de nossa parte. A graça é estendida compassivamente àqueles que a recebem. É um benefício imerecido. Na definição de Millard J. Erickson, "graça é a ação imérita de Deus para com o homem; é um fluir único da bondade e generosidade de Deus".[3]

A graça é o único caminho para a salvação, a forma exclusiva de sermos redimidos e aceitos diante do Criador. "Vocês são salvos pela graça, por meio da fé. Isso não vem de vocês; é uma dádiva de Deus. Não é uma recompensa pela prática de boas obras, para que ninguém venha a se orgulhar", ensina a Bíblia (Ef 2.8-9). Uma vez que jamais poderíamos, por nossos esforços, alcançar a salvação, Deus enviou-nos um Salvador. Com seu sacrifício, ele cumpriu a pena pelos nossos pecados e pagou o preço pela nossa redenção. "Pois o salário do pecado é a morte, mas a dádiva de Deus é a vida eterna em Cristo Jesus, nosso Senhor" (Rm 6.23).

Cristo pagou o preço da remissão com seu sangue e a oferece, gratuitamente, a todo o que nele crer. "Porque Deus amou tanto o mundo que deu seu Filho único, para que todo o que nele crer não pereça, mas tenha a vida eterna" (Jo 3.16). A salvação é algo que pode ser aceito ou rejeitado (como um presente), mas que não pode ser conquistado (como um prêmio). Ela é oferecida a todas as pessoas, independentemente de nacionalidade, tradição, raça, sexo, idade, condição financeira ou nível social. "Pois a graça de Deus foi revelada e a todos traz salvação" (Tt 2.11).

O apóstolo Paulo foi um grande proclamador da mensagem da salvação pela graça mediante a fé em Cristo. Ele tinha consciência de haver sido salvo e transformado pela graça. Por isso dedicava-se, incansavelmente, a anunciá-la. "Minha vida não vale coisa alguma para mim", costumava dizer, "a menos que eu a use para completar minha carreira e a missão que me foi confiada pelo Senhor Jesus: dar testemunho das boas-novas da graça de Deus" (At 20.24). Pela fé em Cristo, Paulo havia sido liberto tanto de suas culpas quanto das tentativas de expiá-las por meio de seus esforços. Agora, procurava levar a mensagem da maravilhosa graça de Jesus a todas as pessoas.

O Senhor fez ver a Paulo que o mesmo ensino que ele transmitia aos outros tinha condições de ajudá-lo em sua luta pessoal. A graça que o redimira da condenação eterna poderia livrá-lo, também, do desespero que procurava dominá-lo a partir da dor que ele sentia. Relembrar o grande amor do qual tinha sido alvo, o incomparável preço com que fora resgatado, o destino de que fora poupado e a condição à qual tinha sido erguido faria o sofrimento do apóstolo recuar para sua real dimensão. E todas essas coisas haviam sido possíveis por causa da graça de Deus.

O bebê e a bicicleta

Por mais intensa que seja uma aflição, ela esmaece na presença de uma alegria que seja ainda maior. Jesus Cristo falou sobre isso certa vez. Ele estabeleceu uma analogia entre as provações que enfrentamos em nossa vida e os sofrimentos de uma mulher que está para dar à luz. "No trabalho de parto", explicou, "a mulher sente dores, mas, quando o bebê nasce, sua angústia dá lugar à alegria, pois ela trouxe ao mundo uma criança" (Jo 16.21). De acordo com o Mestre, colocar a dor e o favor lado a lado nos ajuda a enxergar as coisas na real perspectiva.

Poderíamos tentar esclarecer isso um pouco mais fazendo uso de outra ilustração. Imaginemos que um pai chegue à sua casa e encontre o filhinho de quatro anos chorando.

— O que aconteceu? — pergunta ele.

A mãe responde:

— Ele caiu e machucou o joelho.

E, de fato, ali está o garoto com o joelho ralado, o sangue a escorrer da ferida, o sofrimento estampado em sua face, os olhos marejados de lágrimas, o rosto enterrado no colo da mãe, inconsolável. Então, o pai diz:

— Que pena! Justo hoje que eu comprei para ele aquela bicicleta com que vem sonhando há tanto tempo! Eu já a trouxe da loja, e a deixei logo ali, no quintal!

Ao ouvir essas palavras, o que acontece com o menino? Imediatamente, ele se esquece do machucado. O joelho para de doer. A expressão de seu rosto se modifica. Ele enxuga as lágrimas, abre um sorriso, deixa o colo da mãe e sai correndo para o quintal. Sua tristeza, embora fosse grande, diminuiu — ou mesmo desapareceu — na presença de uma alegria que era ainda maior.

"Da mesma forma, agora vocês estão tristes, mas eu os verei novamente; então se alegrarão e ninguém lhes poderá tirar essa alegria", concluiu Jesus (Jo 16.22). Os servos do Senhor são exortados a se lembrar de que as tribulações que enfrentam, ainda que sejam reais, não esgotam a realidade. Eles foram alcançados pelo amor de Deus. A inimizade se desfez. O véu se rasgou. O muro caiu. Seus nomes foram escritos no Livro da Vida. Eles passaram a desfrutar a comunhão de Cristo e a consolação do Espírito Santo. Esses grandes contentamentos põem as dores da humanidade em sua devida perspectiva.

Nos primeiros séculos de nossa era, a lembrança das venturas concedidas pela graça de Deus estava bem viva na mente dos cristãos. Era por isso que eles enfrentavam as provações com bravura e entravam cantando na arena do Coliseu. Com o passar do tempo, entretanto, parece que tais verdades foram esquecidas. Acostumamo-nos com a redenção. Deixamos de nos alegrar pela salvação e nos esquecemos do preço que Jesus pagou por ela. Passamos a nos concentrar em outras coisas, como a saúde física, o conforto material e o sucesso nos relacionamentos. E quando essas coisas vieram a nos faltar, passamos, também, a duvidar do amor de Deus.

"Minha graça é tudo de que você precisa", disse Jesus a Paulo. O Senhor não estava, de forma alguma, fazendo pouco caso do sofrimento de seu servo. Ele reconhecia a dor do apóstolo e, como o amava, chegava a senti-la em seu próprio coração. Mas Cristo queria que Paulo enxergasse as coisas em seu tamanho real. Ele desejava que o apóstolo tivesse uma visão do todo, em vez de concentrar-se em uma das partes. Assim ele poderia escapar do desalento que tentava dominá-lo.

Quando recebemos a salvação, passamos também a desfrutar os benefícios espirituais e emocionais que ela proporciona. Quando entendemos a graça, somos libertos da culpa e do medo. Quando nos conscientizamos do amor revelado na cruz, sentimo-nos gratos e fortalecidos. Quando nos lembramos da alegria eterna que nos está reservada, erguemos nossa cabeça. Tudo isso nos ajuda a vencer as adversidades. Quando a bondade do Senhor ocupa o centro do palco de nossa vida, o impasse causado pela carne e pelo espinho pode enfim ser superado.

Presença amorosa

Paulo, então, poderia alegrar-se porque tinha a certeza de que seus pecados haviam sido perdoados e de que iria morar no céu para sempre. Mas... isso era tudo? Não, porque isso não é tudo o que a graça significa.

O conceito bíblico de graça é bastante amplo. Ele abrange todos os aspectos da redenção e assinala a presença do próprio Deus em nossa vida. A graça descreve como o Senhor doa a si mesmo e seus dons para nós, como se inclina bondosamente em nossa direção a fim de se relacionar conosco, como se aproxima de nós para nos fazer o bem. A graça de Deus significa sua amizade, sua companhia, seu favor, seu amor, sua direção e seu cuidado.

O teólogo Jean-Jacques Von Allmen escreveu:

> A graça não é uma coisa, mas significa essencialmente Deus mesmo, em sua boa disposição em relação aos homens. A graça divina não se separa de Deus, mas é uma relação pessoal que Deus estabelece entre ele mesmo e os homens; ele os encara com favor e com bondade [...]. Da mesma forma, os favores que Deus concede são "graças" por serem dons imerecidos de seu amor [...]. Graça é o favor de Deus, no qual os homens se descobrem.[4]

Sendo assim, a graça significa Deus mesmo dando-se a nós e ficando conosco, de forma bondosa e imerecida. Era por isso que a dor produzida pelo choque entre a carne e o espinho na vida de Paulo podia ser suplantada. Tudo ficava diferente por causa da presença de Cristo ao seu lado. A paráfrase intitulada *A Bíblia Viva* parece ter captado bem esse ponto. Ela traduziu a frase "a minha graça te basta" da seguinte forma: "Eu estou com você; isso é tudo que você precisa".

Ainda no Antigo Testamento, a palavra "graça" aparece repetidas vezes, como sinônimo de bondade, perdão e amor. Para os antigos hebreus, algo muito significativo era ser visto por alguém com um olhar gracioso. Assim é que a Bíblia nos diz que Jacó se alegrou por ter achado graça aos olhos de seu irmão Esaú; que José encontrou graça aos olhos de Potifar e do carcereiro no Egito; que Rute se emocionou por ter achado graça aos olhos de Boaz; que Ana esperava achar graça aos olhos do sacerdote Eli; que Davi encontrou graça da parte de Jônatas; que Daniel achou graça diante do chefe dos eunucos na Babilônia; e que Ester alcançou graça aos olhos do rei da Pérsia. Em cada um desses casos, o favor imerecido é recebido como uma grande dádiva. Maior alegria ainda é encontrar graça aos olhos de Deus. De acordo com as Escrituras, Noé, Moisés e Davi tiveram essa felicidade, porque acharam graça aos olhos do Senhor.

Embora a graça esteja presente em todo o Antigo Testamento, é no Novo Testamento que ela se revela de maneira mais clara. Nas palavras do evangelista, "a lei foi dada por meio de Moisés, mas a graça e a verdade vieram por meio de Jesus Cristo" (Jo 1.17). Cada uma das ações, milagres, ensinos e parábolas de Cristo apontam para o favor imerecido de Deus. Esse favor alcança sua expressão máxima no sacrifício efetuado no Calvário. Deus "é tão rico em graça que comprou nossa liberdade com o sangue de seu Filho e perdoou nossos pecados. Generosamente, derramou sua graça sobre nós e, com ela, toda sabedoria e todo entendimento" (Ef 1.7-8). Por meio de Cristo, achamos graça aos olhos do Senhor.

Deus assegura sua presença amorosa a seus filhos e filhas. Ele se debruça sobre nós e derrama seu amor em nosso coração. Ele segura nossa mão e nos ajuda a seguir em frente, garantindo-nos seu auxílio e proteção. A companhia favorável do Senhor é aquilo que nos dá força e ânimo. É o que nos livra do abatimento, do desespero, da amargura e da revolta. É o que faz que um espinho encravado na carne, em vez de gerar uma infecção dolorosa em nossa alma, contribua para nosso amadurecimento pessoal. É o que concorre para que até mesmo as provas mais duras se revelem manifestações do amor de Deus.

Eficiente e suficiente

A graça divina é ofertada a todos e traz salvação. Essa maravilhosa graça nos alcança por meio da fé em Jesus Cristo. Quando respondemos positivamente ao amor de Deus e lhe entregamos nossa vida, somos tocados pela bondade do Senhor e amparados pela sua presença. Como resultado, tornamo-nos capazes de resistir às tribulações, e até mesmo de extrair delas coisas boas.

Paul Tournier, psiquiatra e teólogo suíço que tratou centenas de pessoas ao longo de sua carreira, escreveu:

> Tenho visto, durante cinquenta anos, meus pacientes mudarem por intermédio do sofrimento. Não que o sofrimento (que é um mal) seja a causa do crescimento. Mas é que ele é a sua oportunidade. Privações sem o auxílio do amor significam catástrofe. O fator decisivo que leva a privação a produzir frutos é o amor.[5]

Esse depoimento de Tournier deixa as coisas mais claras. Se o que tivermos for apenas fragilidade e dificuldade, o resultado será desastroso. Mas quando a carne machucada pelo espinho é banhada pelo amor divino, tudo fica diferente. Muitos conselheiros têm apontado a experiência da graça como o fator mais terapêutico para a cura emocional e espiritual de seus aconselhados. Os conflitos são superados quando homens e mulheres recebem a dádiva do amor de Deus oferecida generosamente aos que não a merecem — a graça capaz de sará-los.

"Minha graça é tudo de que você precisa", disse Jesus a Paulo. "Meu poder opera melhor na fraqueza." Como resposta a essa declaração, o apóstolo passou a ficar feliz em meio às suas lutas, e até mesmo a se orgulhar delas. Ele percebeu que, se fossem deixadas sozinhas, sua gloriosa fragilidade não poderia ser usada e sua inclinação para o mal não poderia ser vencida. Por outro lado, o personagem misterioso poderia servir a um propósito abençoador com relação a essas duas dimensões. Mas isso apenas se o conjunto formado pela carne-espinho fosse banhado pela graça de Deus.

Conta-se o caso de um homem que enfrentava um problema de saúde. A princípio, como tantos outros homens, ele não quis procurar um médico e tentou resolver tudo sozinho. Tomou alguns comprimidos que tinha no armário do banheiro, experimentou receitas caseiras, recorreu aos vizinhos e até fez compras em uma farmácia das proximidades. Porém, a automedicação não surtiu efeito. Em vez de sua condição melhorar, ele estava ficando cada vez mais debilitado.

Então o homem se deu por vencido e marcou uma consulta. Na hora marcada ele compareceu ao consultório médico, levando, em uma sacola, todos os remédios que estava tomando. Depois de examiná-lo por alguns minutos, o especialista preencheu uma receita e passou-a a suas mãos.

— Tome esse medicamento e você ficará bom — ele falou.

— Apenas esse medicamento? — exclamou o homem, incrédulo, enquanto olhava para a folha de papel. Ele não podia acreditar que fosse tudo tão simples. Em seguida, apontando para o saco cheio de frascos que havia levado consigo até o consultório, perguntou:

— E o que faço com esse monte de pílulas que estou tomando?

O médico respondeu:

— Você pode se livrar delas. Jogue-as fora. Não estavam lhe fazendo bem, e poderiam, até mesmo, fazer-lhe mal. A medicação que lhe receitei, por outro lado, é eficiente e suficiente. Menos do que ela não resolve. E mais do que ela não precisa.

Da mesma forma, Jesus nos oferece, com ternura, o remédio para os males da vida: a graça absoluta, provavelmente a mais notável característica da fé cristã. Deus nos ama não por aquilo que somos ou fazemos, mas por aquilo que ele é. O favor divino flui livremente desde os céus para a vida daqueles que o recebem. E quando isso acontece, temos tudo de que precisamos. O amor de Jesus é eficiente e suficiente. A graça nos basta.

"Por isso aceito com prazer fraquezas e insultos, privações, perseguições e aflições que sofro por Cristo. Pois, quando sou fraco, então é que sou forte", concluiu Paulo (2Co 12.10). Ele havia descoberto, finalmente, o segredo para seguir adiante. Tinha encontrado a resposta na presença e no amor de Deus. Menos do que isso não resolveria, e mais do que isso não seria necessário. Foi assim que ele sentiu sua alegria e sua coragem serem restauradas. Uma grande paz inundou sua alma. Novas oportunidades se abriram à sua frente. E ele se tornou ainda mais poderosamente usado por Deus.

O espinho havia penetrado a carne de Paulo. Mas a graça tinha entrado em seu coração.

9
Teoria e prática

Fé não é crer sem provas, mas confiar sem reservas.

ELTON TRUEBLOOD

Pouco antes de escrever este capítulo, ouvi um relato que me tocou e me deixou pensativo. Uma missionária estava falando em um congresso. Ela narrou o encontro que teve, anos atrás, com um servo de Deus que vivia em um país onde a fé cristã era perseguida. Por causa de sua fidelidade, o homem havia sido preso e espancado diversas vezes pelas autoridades. A situação era muito difícil. Tanto o cristão quanto sua família pagavam um alto preço por sua decisão de seguir a Jesus.

Segundo o que aquele crente relatou à missionária, numa das ocasiões em que foi detido ele percebeu que havia chegado ao limite. As torturas ficaram mais intensas, e ele achou que não poderia mais suportá-las. "Senhor", clamou o prisioneiro no auge da aflição, "preciso de tua ajuda! Não estou aguentando mais! Tira-me dessa situação! Se as coisas continuarem assim, tenho medo de não resistir e de acabar negando teu nome!"

Naquele momento, ele ouviu uma voz a falar, nitidamente, em seu interior. E o que a voz lhe disse foi: "Minha graça é tudo de que você precisa". No mesmo instante, seu coração se acalmou. Ele sentiu suas forças se renovarem para enfrentar a terrível provação. O medo e o desespero se foram, dando lugar à serenidade e à confiança. Revigorado, ele conseguiu resistir aos maus-tratos e ao encarceramento. Meses depois, foi colocado em liberdade. E Deus lhe deu muitos anos de vida para ver os frutos de sua fé e compartilhar seu testemunho.

Tanto eu quanto as outras pessoas que escutaram a história ficamos comovidos. Sentimo-nos impactados pela demonstração de fidelidade daquele servo do Senhor e pela prova do cuidado divino em sua vida. Mas eu fiquei, também, pensativo. Perguntei a mim mesmo: "Por que será que isso não acontece com todos os cristãos? Por que razão, ao depararmos com dissabores menores do que os enfrentados por aquele homem, ficamos abatidos ou revoltados? Por que motivo tantos filhos de Deus vivem infelizes?".

Em outras palavras: "Por que parece que, para muitos de nós, a graça não basta?".

Decepcionados com Deus

Anos atrás, encontrei-me com uma irmã de minha igreja que se afastara das reuniões dominicais. "Tenho sentido sua falta nos cultos", eu disse a ela. A resposta foi: "Não tenho sentido vontade de ir à igreja. Estou decepcionada com Deus". Em seguida, ela passou a me falar sobre uma desilusão que havia experimentado em sua vida sentimental. O rapaz com que vinha se relacionando havia terminado o namoro. Aquilo a tinha deixado arrasada. E, como Deus não havia atendido a suas orações, agora ela estava zangada com ele e não queria saber de conversa.

Não tenho nenhuma intenção de julgar aquela irmã. Na verdade, algo que pode ser dito a favor dela é que estava sendo sincera, e que no relacionamento com Deus isso é sempre um bom começo (afinal, se ele sabe tudo o que se passa em nosso coração, não adianta querermos negar a verdade). Além disso, fico feliz em poder dizer que ela superou seu aborrecimento, voltou para os caminhos do Senhor e hoje está muito bem casada. Entretanto, ainda que a sinceridade conte pontos, ela não é tudo o que conta. Alguém pode estar sinceramente errado. Precisamos encontrar o caminho certo.

O que quero destacar nesse episódio é a tendência humana à insatisfação. A maneira como aquela irmã se sentiu, pensou e agiu parece ser a mesma experimentada por vários de nós. Há muitas pessoas que ficam indignadas quando Deus não atende a seus pedidos ou não muda suas circunstâncias. Elas oscilam na fé, afastam-se do Senhor ou são consumidas pela tristeza. Uma coisa muito diferente do que aquele cristão perseguido experimentou na cadeia. E algo muito distinto do que aconteceu com Paulo e seu espinho na carne.

"Minha graça é tudo de que você precisa" foi a frase que o apóstolo ouviu e que encerrou a questão (2Co 12.9). A palavra traduzida em português como "é tudo de que você precisa", nesse versículo, é o termo grego *arkei*. Ele significa "bastar", "ser totalmente suficiente", "satisfazer", "contentar". O verbo aparece no presente do indicativo, denotando uma ação contínua. A graça do Senhor estaria ininterruptamente disponível para o apóstolo. Ela o acompanharia em todos os momentos da vida, preencheria todos os espaços, seria totalmente eficaz e o capacitaria a seguir adiante independentemente da situação.[1]

Mesmo quando a conjuntura é desfavorável, podemos nos sentir fortalecidos por causa da graça de Deus. Seu amor é tudo de que precisamos para que nossas necessidades mais profundas sejam satisfeitas. Sua companhia constante ameniza as dores da carne, fazendo que o espinho se torne suportável e possa cumprir seu papel. Essa foi a experiência de Paulo, e esse é o ensino das Escrituras. Todavia, alguns poderão dizer: "Isso é muito bonito na teoria. Mas funciona na prática?".

Na prática, milhões de homens e mulheres têm se arrastado, infelizes, sobre a terra. Isso pode ser verificado até mesmo no seio das igrejas. Inúmeros cristãos se sentem insatisfeitos e amargurados. O pastor e psicólogo Gary Collins escreveu: "Jesus tinha duas metas para os indivíduos: vida abundante na terra e vida eterna no céu. No entanto, todo mundo sabe que existem muitos crentes sinceros que terão a vida eterna no céu, mas cuja vida na terra não tem nada de abundante".[2]

A contribuição de psicólogos, conselheiros e psiquiatras pode ser de grande valia para ajudar aqueles que não estão desfrutando a vida abundante que Cristo morreu para conceder. Essa ajuda pode ser especialmente oportuna nos casos de sofrimento prolongado, de crises pessoais e de episódios de depressão. Para nós, o fato de Deus ter deixado, sobre a terra, profissionais competentes e medicamentos eficazes, representa uma grande bênção. Eles são recursos que nosso Pai celestial usa como manifestações de seu cuidado. Seremos sábios se fizermos uso de tal provisão.

Ainda assim, mesmo sem desmerecer essas formas de auxílio ou deixar de recomendá-las, desejaria refletir sobre as possíveis causas da insatisfação humana. Gostaria de apontar alguns motivos que levam muitas pessoas a terem a sensação de que, no caso delas, a graça não é suficiente.

Não conhecer a graça

A primeira razão de muita gente não se sentir confortada pelo amor incondicional de Deus é, simplesmente, não o conhecer. Alguns nunca ouviram a pregação do evangelho e, por isso, não têm acesso aos benefícios que ele proporciona.

E outros têm contato com a doutrina cristã, mas ainda não a entenderam da forma correta.

Nem sempre é fácil para nós, seres humanos, compreendermos e experimentarmos a graça. Somos pecadores e imperfeitos, e vivemos em um mundo no qual as coisas não são dadas sem contrapartida ou interesse. Por essa razão, frequentemente transferimos essa forma de pensar para nosso relacionamento com Deus. Às vezes, a própria religião nos empurra nesse rumo. Ela nos apresenta uma série de regras e diz que, se as observarmos, seremos agraciados pelo Senhor. Esse pensamento gera desgaste e alimenta a insegurança.

Conversei, em certa ocasião, com uma mulher que havia sofrido um esgotamento nervoso. Ela havia sido uma profissional muito ativa, tendo se tornado bastante respeitada em seu meio. Havia acumulado títulos importantes e alcançado a admiração dos colegas. Agora, porém, encontrava-se profundamente deprimida. Tinha sido obrigada a parar de trabalhar e não conseguia mais executar as tarefas de casa. Estava tomando remédios e fazendo terapia na tentativa de sair daquele estado.

Eu sabia que ela havia se tornado membro de uma igreja evangélica alguns anos antes de adoecer. Por essa razão, a certa altura da conversa, perguntei-lhe:

— O que você aprendeu sobre a graça de Deus em sua igreja?

Ela respondeu:

— Não aprendi nada. Tudo o que sei sobre a graça, eu aprendi antes de me converter.

Fiquei muito chocado com aquela resposta. Por isso, tornei a perguntar-lhe:

— O que você quer dizer com isso?

Ela concluiu:

— Sim, é verdade. Antes de entrar para a igreja, eu vivia errada. Mas, mesmo assim, acreditava que Deus me amava. Hoje, eu me esforço para fazer tudo o que esperam de mim. Porém, por mais que busque viver corretamente, não consigo acreditar que Deus me ame.

Aquela mulher não desejava voltar atrás na decisão de andar com Jesus. Ela se sentia grata por haver conhecido sua Palavra, e desejava segui-lo fielmente. Não queria voltar à vida que experimentara antes, e tampouco pensava em abandonar sua comunidade de fé. Entretanto, era óbvio que alguma coisa estava errada. Em seu contato com o cristianismo, ela fora apresentada a uma série de expectativas e se esgotara na tentativa de corresponder a elas. Mas ninguém havia lhe falado sobre o favor imerecido de Deus.

"A religião pode arrasar a alma dos homens em vez de libertá-las", escreveu Paul Tournier. Muitos passam arrasados pela vida por não entenderem como Deus resgata as pessoas e se relaciona com elas. Compreender e desfrutar a graça é mais do que se inteirar sobre uma doutrina. É uma questão de vida ou morte, de saúde ou enfermidade. É pela graça que somos salvos, e é por ela, também, que somos curados. Por isso é tão importante conhecermos a graça de Deus.

Não se lembrar da graça

Em um segundo grupo, encontramos aqueles que até tiveram um contato com a graça de Cristo, mas que, em meio às exigências da vida, se esqueceram dela. No caso dessas pessoas, a alegria do primeiro amor foi substituída pela preocupação diária de executar tarefas, melhorar de vida, alcançar realizações e resolver problemas. As questões do cotidiano levaram-nas a desviar os olhos do Salvador, dando prioridade a outras coisas. Consequentemente, o amor de Deus pareceu-lhes deixar de ser o bastante.

Em uma das parábolas que Jesus contou, a vida espiritual dessas pessoas é comparada a sementes que caíram entre espinhos, os quais cresceram e sufocaram os brotos verdes. Enquanto as demais sementes simbolizam alguns que se recusam a crer ou que se desviam por causa das provações, "as que caíram entre os espinhos representam outros que ouvem a mensagem, mas logo ela é sufocada pelas preocupações desta vida e pela sedução da riqueza, de modo que não produzem fruto" (Mt 13.22).

Talvez os espinhos das preocupações sejam mais perigosos do que aquele com o qual Paulo deparou! Sugados pelo turbilhão dos afazeres diários, corremos o risco de nos esquecermos dos familiares, dos amigos e dos irmãos. Podemos nos esquecer, também, do Senhor e do amor que ele demonstrou por nós. Desse modo, colocamos nosso coração nas coisas deste mundo. Consequentemente, ficamos insatisfeitos quando não obtemos aquilo que queremos, ou nos sentimos frustrados quando o que tínhamos nos é tirado.

De maneira reveladora, uma das ordenanças deixadas por Cristo para a igreja visa, exatamente, combater os males do esquecimento. A Ceia do Senhor é uma cerimônia realizada há milhares de anos por milhões de cristãos ao redor do mundo. Ela foi instituída pelo Salvador na véspera da sua morte. Segundo as Escrituras:

> Na noite em que o Senhor Jesus foi traído, ele tomou o pão, agradeceu a Deus, partiu-o e disse: "Este é meu corpo, que é entregue

por vocês. Façam isto em memória de mim". Da mesma forma, depois da ceia, tomou o cálice e disse: "Este cálice é a nova aliança, confirmada com meu sangue. Façam isto em memória de mim, sempre que o beberem".

1Coríntios 11.23-25

Por que o Senhor Jesus nos deixou uma ordenança e disse que a celebrássemos em memória dele? Por duas razões muito simples: porque lembrar é importante e porque esquecer é fácil. É fundamental nos lembrarmos do sacrifício que foi realizado na cruz, da misericórdia revelada por Deus, e do poder que há no sangue que foi derramado. Ao mesmo tempo, é fácil olvidarmos tudo isso, entregando-nos a nossos próprios objetivos e ficando aborrecidos quando não conseguimos alcançá-los. Por isso a Ceia do Senhor é tão importante. Ela reconduz nossos olhos para o Calvário. Ela nos redireciona para a graça redentora de Deus.

Da próxima vez que nos sentirmos esquecidos ou injustiçados, lembremo-nos do favor e do perdão de Deus. Para nós, a salvação não custou nada. Para Jesus, entretanto, custou a própria vida. Se nos recordarmos desse fato, jamais duvidaremos do amor de Deus por nós. As frustrações e preocupações do dia a dia não roubarão nossa paz. Os espinhos do cotidiano não sufocarão nossa alegria. E a graça suficiente não será apenas uma teoria bonita, mas uma força irresistível.

Não valorizar a graça

Finalmente, podemos afirmar que existem pessoas que não valorizam a graça. Elas não são capazes de enxergar a honra que é ser aceito por Deus e desfrutar sua amizade. Ignoram a gravidade e as consequências de seus pecados e não conseguem aquilatar a real dimensão do perdão concedido por Cristo. Sendo assim, não lhes parece que estejam em dívida para com Deus. Em lugar disso, sentem que ele é que lhes deve algo por havê-las criado, e que a concessão de suas bênçãos deveria pertencer-lhes como uma espécie de direito inato. Por essa razão, não conseguem apreciar a graça, nem sentir que ela lhes baste.

Vivemos em uma era de frouxidão moral. Nos dias de hoje, tudo parece ser aceito e tolerado. Os desdobramentos desse estado de coisas são muito ruins. Quando os seres humanos se acomodam ao erro e acham que tudo é permitido, acabam se convencendo de que não têm do que ser salvos. As advertências bíblicas, as promessas de redenção e o próprio sacrifício de Cristo deixam de fazer sentido para eles. Essas coisas são consideradas inúteis e desprovidas de valor.

Um ator de Hollywood compareceu, tempos atrás, a um programa de entrevistas na televisão. O entrevistador lhe perguntou: "Se algum dia você morrer e chegar ao céu, o que espera que Deus lhe diga?". A resposta foi: "Se realmente existir um céu, e se Deus estiver lá, ele terá de me explicar muita coisa!". Isso resume bem o espírito de nossa época. Os homens se mostram incapazes de enxergar os próprios erros, tornando-se complacentes consigo mesmos. Ao mesmo tempo, acham-se no direito de colocar Deus no banco dos réus, acreditando que ele lhes deve favores e explicações.

Se acreditarmos que Deus nos deve algo, jamais valorizaremos a graça. Acomodaremo-nos ao pecado e seremos atingidos por suas terríveis consequências. Concentraremo-nos nas bênçãos que esperamos receber e não no privilégio da companhia divina. Dirigiremo-nos ao Criador como consumidores em busca de seus direitos. E nos comportaremos como crianças contrariadas sempre que nossas vontades não forem satisfeitas.

Precisamos dar o devido valor à maravilhosa graça de Deus. Existem muitas pessoas que, ao receber alguma coisa que desejavam, referem-se ao fato dizendo: "Alcancei uma graça". Não há nada de errado com essa expressão. Pode-se dizer que ela está revestida de beleza, mostra gratidão e possui correção teológica. O grande problema surge quando damos importância demasiada a *uma graça* e não valorizamos *a graça*. Nesse caso, nossa atenção está voltada para as mãos de Deus, e não para a sua face. Focamo-nos em suas dádivas, e não em sua presença.

É muito bom quando alcançamos *uma graça*. Mas é infinitamente melhor quando *a graça* nos alcança!

Por meio da fé

Identificamos, assim, as três principais causas que podem levar uma pessoa a sentir que o favor imerecido não basta para a resolução de seus conflitos. Tendo feito isso, estamos, agora, em melhor condição para responder à pergunta: "De que modo a graça pode ser suficiente, tornando-nos aptos a superar o desafio representado pelos espinhos da vida?".

A resposta dada pela Bíblia é bem clara: "Isso é possível mediante a fé". É pela confiança no Senhor que seus servos são amparados e revigorados. Abraão creu em Deus ao receber dele a promessa de que teria um filho. Jeremias acreditou que Jerusalém seria restaurada de acordo com a revelação divina. Sadraque, Mesaque e Abede-Nego decidiram permanecer fiéis mesmo que isso os colocasse na fornalha do rei. Essas pessoas creram "mesmo quando não havia motivo para ter esperança" (Rm 4.18). De todo o seu coração, confiaram na bondade de Deus e se entregaram em suas mãos.

"Vocês são salvos pela graça, por meio da fé", ensina a Bíblia (Ef 2.8). Se a fé é o meio pelo qual recebemos a graça eficaz para nossa salvação, é razoável supormos que ela seja, também, a maneira pela qual recebemos a graça suficiente para permanecermos firmes em meio às tribulações. Paulo escutou Jesus lhe dizer que sua graça era tudo de que ele necessitava. Prontamente, ele acreditou no que havia escutado. E, como resultado, foi fortalecido, passando a aceitar com prazer as lutas que enfrentava por Cristo. O que o apóstolo fez é, exatamente, o que nós precisamos fazer.

Por certo, isso nem sempre é fácil. Costumamos pedir muitas coisas a Deus. Ele, por sua vez, só nos faz um pedido: "Confie em mim!". Na maior parte das vezes, encontramos grande dificuldade em atender a essa única solicitação do Senhor. Por mais que vivamos tremendas experiências ao lado de Deus, cada nova adversidade parece nos atingir como se fosse a primeira. Cada novo desafio balança nossas estruturas e põe à prova nossa fé.

Quando nos dispomos a confrontar nossa inclinação natural — depositando no Senhor nossa confiança — descobrimos, por fim, que a graça nos basta. Podemos, então, experimentar a paz de Deus, a qual excede todo entendimento e guarda nosso coração e nossa mente (Fp 4.7). Tornamo-nos capazes de aquietar nosso espírito e de enfrentar os desafios com a atitude correta. Ao longo dos séculos, esse tem sido o segredo dos homens e mulheres vitoriosos.

Neste exato momento, o Senhor está nos dizendo: "Confie em mim!". Ele quer cuidar de nós, sustentando-nos em seus braços como uma mãe faz com seu filho pequeno. Se dermos ouvidos a sua voz e crermos em seu amor, ele dará um novo significado às nossas adversidades. Os obstáculos que enfrentarmos não serão pedras para nos fazer cair, e sim degraus para nos ajudar a crescer. E os sofrimentos, em vez de nos afastarem do Criador, se transformarão em um caminho que nos conduzirá a uma maior intimidade com ele.

10
Poder que se aperfeiçoa

A melhor conjuntura para Deus fazer sua maior obra é aquela organizada quando as coisas são absolutamente impossíveis e nos sentimos totalmente desqualificados para lidar com elas. Essa é sua circunstância favorita. Essas são suas condições especiais de trabalho.

CHARLES SWINDOLL

"Minha graça é tudo de que você precisa. Meu poder opera melhor na fraqueza", disse Jesus a Paulo (2Co 12.9). Tal associação entre fraqueza, poder e graça convenceu o apóstolo de que ele poderia não apenas suportar suas provações, mas até mesmo gloriar-se nelas e delas servir-se para um propósito elevado. "Portanto, agora fico feliz de me orgulhar de minhas fraquezas, para que o poder de Deus opere por meu intermédio. Por isso aceito com prazer fraquezas e insultos, privações, perseguições e aflições que sofro por Cristo. Pois, quando sou fraco, então é que sou forte", concluiu (2Co 12.9-10).

Que relação é essa que existe entre a debilidade humana e o poder divino que se aperfeiçoa nela? A expressão "opera melhor", que encontramos no versículo 9, é a tradução da palavra grega *teleitai*. Ela tem o sentido de "completar", "aperfeiçoar", "acabar". O termo é utilizado no tempo presente, o que enfatiza uma ação contínua. Cristo estava dizendo ao apóstolo: "Meu poder está sendo aprimorado em sua fraqueza".[1]

O poder de Deus é absolutamente indispensável para que possamos realizar aquilo que é necessário. O Salvador afirmou a seus discípulos: "Sem mim, vocês não podem fazer coisa alguma" (Jo 15.5). Desse modo, o Senhor nos concede sua força para enfrentarmos as exigências do dia a dia. Ele nos capacita a superar as adversidades e nos habilita a cumprir nossa missão.

Infelizmente, somos criaturas bastante complicadas. Com muita frequência, esquecemo-nos de nossas limitações. Tentamos resolver as coisas pela nossa força e do nosso jeito, o que quase sempre produz resultados ruins. Em outros momentos, deixamos de reconhecer o auxílio recebido ao atingirmos nossos objetivos. Convencemo-nos de que alcançamos a vitória graças à nossa própria capacidade, cedendo à vanglória e à ingratidão.

Assim como as estrelas não são visíveis durante o dia porque a luminosidade do sol ofusca seu brilho, o poder de Deus não pode ser derramado em nossa vida se estivermos cheios de nós mesmos. Por outro lado, corremos o risco de, ao sermos poderosamente usados pelo Senhor, tornarmo-nos vaidosos, acreditando que possuímos luz própria. Dessa forma, vemo-nos diante de uma espécie de dilema. Precisamos da capacitação dos céus a fim de que possamos ser homens e mulheres realizados. Mas será seguro, para criaturas inclinadas ao orgulho, receber essa capacitação?

A rainha das virtudes

Existem muitas e belas qualidades que nós, seres humanos, devemos valorizar. Poderíamos citar, entre outras, a coragem, a lealdade, a compaixão, a honestidade e a perseverança. Desde tempos muito antigos, as civilizações têm chamado esses atributos de "virtudes". Mas, ainda que todas essas qualificações sejam nobres e desejáveis, existe uma que podemos chamar de "a rainha das virtudes": a humildade.

A humildade é a rainha das virtudes porque, sem ela, todas as qualidades se transformam em defeitos. Humildade foi o que faltou a Lúcifer, quando desejou ser igual a Deus. Foi o que faltou a Adão e Eva, quando quiseram decidir por si próprios o que era certo e errado. Foi o que faltou a Josué, quando enviou uns poucos soldados para tomar a cidade de Ai. Foi o que faltou a Davi, quando recenseou os guerreiros de Israel. Foi o que faltou a Ezequias, quando exibiu todos os seus tesouros aos babilônios. Foi o que faltou a Nabucodonosor, quando se gabou de sua posição privilegiada. Foi o que faltou a Vasti, quando se rebelou contra as ordens do rei Assuero. Foi o que faltou a Pedro, quando jurou que permaneceria fiel a Cristo ainda que todos abandonassem o Mestre.

A falta de humildade coloca-nos em situação delicada, expondo-nos à possibilidade de quedas dolorosas. As páginas da Bíblia e dos livros de história estão cheias de quedas assim. Por causa do orgulho reis perderam a coroa, homens e mulheres perderam o casamento, e líderes religiosos perderam o ministério. É por isso que é tão importante conservarmo-nos humildes. A palavra "humildade" vem da Grécia antiga e significa "ficar perto do chão" (do grego *hummus*). Certamente, não é uma imagem atraente para nós, seres humanos sedentos de reconhecimento! Entretanto, trata-se do único caminho para a real exaltação.

Em minha igreja há um irmão, chamado Juarez Gustavo, que é alpinista. Há alguns anos ele resolveu participar do "Desafio dos Sete Cumes", que consiste em escalar as montanhas mais altas dos sete continentes: o monte Puncak Jaya (na Oceania), o Vinson (na Antártida), o Elbrus (na Europa), o Kilimanjaro (na África), o Denali (na América do Norte), o Aconcágua (na América do Sul) e o Everest (na Ásia). Em maio de 2019, após superar uma série de adversidades, ele se tornou o vigésimo quarto brasileiro a chegar ao cume do Everest, e o primeiro alpinista capixaba a realizar essa façanha.

Juarez costuma dizer que, em todas as suas expedições, precisou contar com a ajuda de Deus a fim de alcançar seu objetivo. Na maioria das vezes, ele duvidou de que teria condições físicas e técnicas para chegar ao alto da montanha. "O único monte que eu tinha a certeza de que iria conquistar era o Denali, no Alasca, porque me sentia totalmente preparado para a escalada", declara ele. "E foi exatamente o único dos sete montes que eu não conquistei. As condições meteorológicas se tornaram adversas, com ventos extremamente fortes, e subir até o topo se tornou impossível. Assim, acabei tendo de voltar do meio do caminho."

De igual forma, parece que, em nossa vida, as montanhas que deixamos de conquistar são aquelas diante das quais nos sentimos mais capazes, e os desafios que deixamos de vencer são aqueles para os quais nos julgamos mais preparados. A autossuficiência pode ser um grande problema para nós. Se estivermos cheios de nós mesmos, não sobrará espaço para a capacitação que vem do alto. Se não reconhecermos nossa fraqueza, o poder de Deus não operará tão bem em nossa vida. Por essa razão, a Bíblia diz:

Tenham a mesma atitude demonstrada por Cristo Jesus.

Embora sendo Deus,
    não considerou que ser igual a Deus
    fosse algo a que devesse se apegar.

Em vez disso, esvaziou a si mesmo;
   assumiu a posição de escravo
   e nasceu como ser humano.
Quando veio em forma humana,
   humilhou-se e foi obediente até a morte,
   e morte de cruz.

Por isso Deus o elevou ao lugar de mais alta honra
   e lhe deu o nome que está acima de todos os nomes,
para que, ao nome de Jesus, todo joelho se dobre,
   nos céus, na terra e debaixo da terra,
e toda língua declare que Jesus Cristo é Senhor,
   para a glória de Deus, o Pai.

Filipenses 2.5-11

O Filho de Deus nos deixou o supremo exemplo de humildade e recebeu, por sua vez, a mais sublime exaltação. Em sua morte, ele se fez expiação pelo pecado e se tornou a maior vítima do sofrimento. Em sua ressurreição, conquistou a vitória definitiva sobre ambos. Seu exemplo nos mostra que as coisas em si mesmas podem não ser boas, mas, ao fazerem parte de propósitos consagrados e serem encaradas com fé, concorrem para o bem.

Solucionando o dilema

A falta da humildade (a rainha das virtudes) tem trazido graves problemas para inúmeras pessoas. Ela poderia, também, trazer sérios perigos para o apóstolo Paulo. Ele era um homem usado por Deus de uma forma extraordinária. Além disso, tinha vivido experiências vedadas à maior parte dos mortais. Como um ser humano poderia lidar com privilégios tão grandes sem se ensoberbecer? Como impedir que o orgulho colocasse o apóstolo em terreno escorregadio e o levasse a cair?

Nas palavras do próprio Paulo, foi da adversidade que Deus extraiu a solução para seu dilema. Quando fala sobre sua tribulação, ele o faz associando-a ao seu arrebatamento até o terceiro céu. Com notável sinceridade, o apóstolo confessa que, não fosse pela provação enfrentada, poderia ter se envaidecido com a excelência das revelações que recebeu: "Portanto, para evitar que eu me tornasse arrogante, foi-me dado um espinho na carne, um mensageiro de Satanás para me atormentar e impedir qualquer arrogância" (2Co 12.7).

Paulo admite que, não fosse pelo espinho, talvez tivesse cedido à tentação da autossuficiência. Sua luta serviu ao duplo propósito de conservá-lo ciente da própria fraqueza e mantê-lo dependente do poder de Deus. A adversidade se tornou uma espécie de peso colocado sobre seu espírito, impedindo-o de inchar — ou, até mesmo, de explodir — por causa de uma possível soberba. Dessa maneira, seu sofrimento mostrou-se uma manifestação da proteção e do amor divinos. Isso porque, ainda que a dor provocada pelo espinho fosse intensa, a dor de cair e desviar-se do caminho do Senhor seria, com certeza, muito maior.

Ao que tudo indica, a experiência vivida pelo apóstolo dos gentios tem se repetido, ao longo dos séculos, na vida de vários servos de Deus. "Os ministros nunca pregam ou escrevem tão bem como quando estão debaixo da cruz: o espírito de Cristo e da glória repousa sobre eles", afirmou George Whitefield. "Grande dor acompanha grandes privilégios espirituais. É claro nas Escrituras que este é o desígnio soberano de Deus: grande privilégio, grande dor, desígnio de Deus", escreveu John Piper.

Em um mundo perfeito, não nos envaideceríamos com as revelações recebidas. Deus não precisaria tratar nossa inclinação para o mal. E ele não teria de usar instrumentos dolorosos para fazê-lo. Entretanto, não estamos em um mundo perfeito. Desde que o pecado entrou no planeta, o sofrimento passou a acompanhar-nos. E o Pai celestial, em sua soberania, pode usá-lo para nosso bem. Foi isso o que aconteceu no caso de Paulo. Uma vez superado seu dilema, Deus pôde continuar derramando seu poder na vida do apóstolo, e até mesmo fazer isso de forma mais intensa. Sua força poderia aperfeiçoar-se em um homem ferido e humilhado, mas não em um indivíduo cheio de si.

É dessa maneira que a unção divina opera melhor na fragilidade humana. O Senhor nos usa quebrantando-nos primeiro, porque uma vida de poder é uma vida de dependência de Deus. As circunstâncias adversas, e não as situações favoráveis, são as condições de trabalho ideais do Criador. Foi da vontade de Deus que as pérolas (as rainhas das gemas) não fossem encontradas na altivez dos montes ou na exuberância das matas, e sim no ambiente humilde da lama e do lodo. Ele não as fez surgir de criaturas elegantes e coloridas, mas de ostras desajeitadas. E não associou a origem dessas joias a ocasiões festivas, e sim a momentos de dor e de superação.

Glória sobre o tabernáculo

Vale a pena considerar as palavras do pastor Jaime Kemp:

> Quando o espinho rasgou a carne de Paulo, penetrando em sua alma, ele não se deixou vencer pela autocomiseração ou pela amargura, murmurando pelo restante de seus dias. Ele aprendeu

como viver com a sua fraqueza. Descobriu como ter contentamento e até alegria diante de injúrias, necessidades, perseguições e angústias. Foi na fraqueza que ele descobriu seu poder interior.[2]

De fato, Paulo descobriu que a capacitação de Deus operava melhor em sua debilidade, e que quando ele era fraco, então é que era forte. Isso levou o apóstolo a experimentar contentamento e, até mesmo, a sentir alegria em meio a suas provações. Evidentemente, ele não ficava satisfeito com o espinho em si. Entretanto, desfrutava regozijo com o que Deus realizava por meio dele. "Agora, fico feliz de me orgulhar de minhas fraquezas, para que o poder de Deus opere por meu intermédio", escreveu (2Co 12.9).

De maneira notável, o mensageiro de Satanás enviado para esbofetear Paulo não o lançou por terra, mas o tornou um homem ainda mais decidido. Suas batalhas não o transformaram em uma pessoa melancólica, e sim em alguém cheio de entusiasmo. Suas fraquezas se tornaram, para ele, motivo de felicidade. A Bíblia não nos diz se Paulo morreu *com* o espinho. Mas fica muito claro que ele não morreu *do* espinho!

Pouco tempo atrás, eu estava conversando com um irmão em Cristo que atravessava sérios problemas na família. "Estão sendo dias de aflição e de lágrimas", ele me confidenciou. "Tenho orado com muita frequência e intensidade. Tenho, igualmente, lido bastante a história de Jó. Esse livro do Antigo Testamento ganhou um novo significado para mim. Passei a me identificar com aquele servo de Deus do passado, porque, assim como ele, eu também tenho enfrentado muitas aflições."

Enquanto conversávamos, eu lembrei a ele o fato de que, na história bíblica de Jó, o diabo realiza seus ataques com a intenção de afastar o patriarca do Senhor. "O alvo do inimigo era levar Jó a blasfemar e virar suas costas para Deus, mergulhando-o na amargura e na revolta", falei. "Só que o diabo quebrou a cara. Porque, no final do livro, fica claro que Jó não apenas não se afastou do Senhor, como ainda se tornou mais próximo dele."

Então, aquele irmão levantou o rosto e me disse com ênfase: "Comigo ele vai quebrar a cara também! Porque eu não vou deixar de confiar no meu Deus, nem deixar de orar pela resolução dos problemas na minha família! Tenho certeza de que o Senhor me concederá a vitória. E, enquanto estou lutando, vou amadurecendo espiritualmente. Estou me tornando mais íntimo do meu Salvador, e mais dependente do seu poder".

É assim que os sofredores são alçados pelo Senhor à companhia de Jó, de Paulo e de outros servos de Deus. Também sobre eles se abatem grandes tribulações. Mas o Senhor lhes dá sua graça, sustentando-os em meio às provas e fazendo-os crescer com elas.

Acredito que, em maior ou menor grau, o Criador deseja fazer o mesmo com cada um de nós. Seu propósito é que uma dobrada unção seja derramada sobre nossa vida. Sua vontade é que o poder de Cristo repouse sobre nossa fraqueza e opere melhor a partir dela.

Ao escrever a frase "para que o poder de Deus opere por meu intermédio", Paulo utilizou a palavra grega *episkenose*. Ela significa, literalmente, "repousar", "residir", "morar em uma tenda". É muito interessante que o autor bíblico tenha escolhido esse termo. Ao que tudo indica, Paulo desejava estabelecer um paralelo entre sua experiência pessoal e a glória de Deus que, nos dias do Antigo Testamento, habitava no tabernáculo. "Assim também na minha vida", diria o missionário, "a glória do Senhor desceu e fez morada, residindo no frágil tabernáculo do meu corpo."[3]

Essa é uma imagem inspiradora. Da mesma forma como a *shekinah*, a presença divina, acompanhava os israelitas em suas peregrinações pelo deserto, o poder de Cristo era, para Paulo, como uma nuvem de glória que o protegia e iluminava.[4] Essa luz brilhava de maneira mais intensa por causa da simplicidade da tenda sobre a qual repousava. Apesar das limitações e sofrimentos, o missionário sentia-se transbordar do fulgor celestial. Isso traz à memória o que ele já tinha dito a seus irmãos de Corinto: somos como vasos frágeis de barro que contêm um grande tesouro (2Co 4.7).

Deus está realizando uma grande obra, e procura homens e mulheres que se disponham a confiar nele. Ele busca indivíduos que enxerguem a própria pequenez e queiram ser capacitados para abençoar vidas. "Os olhos do SENHOR passam por toda a terra para mostrar sua força àqueles cujo coração é inteiramente dedicado a ele", dizem as Escrituras (2Cr 16.9). O olhar do Senhor percorre o mundo em busca de alguém que deseje ser usado. Ele procura pessoas que sejam conscientes das próprias fraquezas e que estejam prontas a depender da força que vem dos céus.

Usados por Deus

Podemos encontrar na experiência de Paulo uma lição importantíssima para nossa vida. O mundo precisa de filhos e filhas de Deus que se disponham a ter seu sofrimento usado, ainda que, talvez, ele não seja eliminado. Muito daquilo que nos acontece faz parte de um plano maior. O Senhor deseja que permaneçamos dependentes de seu poder e firmes em seus caminhos. Ele nos leva para mais perto de si por meio das lutas, e nos ministra seus ensinamentos através das tribulações. Ele não permite que soframos dores por deixar de amar-nos, e sim por desejar mostrar-nos sua glória.

O poder do Altíssimo se revela tanto mais claramente quanto mais frágil é o instrumento humano. Afinal, toda a suficiência vem do Criador. Desse modo, quando lidamos corretamente com os espinhos da humanidade, muitas coisas boas acontecem. A glória do Senhor se manifesta de forma intensa sem que isso nos torne pessoas orgulhosas. Nossa espiritualidade amadurece e adentra novas dimensões. E o Pai celestial nos usa para abençoar vidas, cumprindo seus planos e manifestando seu amor.

"O caminho do fraco é o único caminho saudável", declarou J. I. Packer. Quando examinamos as Escrituras, damo-nos conta dessa verdade. Numerosos personagens bíblicos tiveram de encarar limitações e ataques ao longo de suas jornadas. Tiveram de lidar com seus próprios espinhos. E, enquanto faziam isso, aproximaram-se do Senhor, cresceram na fé e abençoaram multidões.

Sara era estéril, mas foi usada por Deus para tornar-se a mãe do povo escolhido.

José foi vendido como escravo por seus irmãos, mas, por sua fidelidade, milhões de vidas foram salvas.

Moisés se considerava um homem pesado de língua, mas, através dele, a mensagem divina foi comunicada aos filhos de Israel.

Gideão se enxergava como o menor dos homens, mas o Senhor o capacitou a conquistar a maior das vitórias.

Rute não era mais do que uma pobre viúva, mas de sua linhagem veio o Messias prometido.

Daniel foi tirado de sua terra, povo e família, mas o Senhor o usou para confrontar todo um império.

Madalena havia sido uma mulher atormentada por demônios, mas recebeu o privilégio de encontrar primeiro o Cristo ressuscitado.

João achou-se exilado na ilha de Patmos, mas, ali, o Espírito lhe revelou os acontecimentos da consumação dos séculos.

Deus é engrandecido ao extrair força da fraqueza, exaltação da injustiça, e dignidade da humilhação. E nós somos bem-aventurados quando, confiando no amor divino, não apenas superamos as adversidades, mas permitimos que nossas lutas sejam revertidas em bênçãos para os demais. O Senhor sabe o que é melhor para nós. Ele também conhece as condições certas para que sua obra seja realizada em nossa vida. Se crermos em sua graça e nos dispusermos a ser usados, constataremos que aquilo que ele faz é, sempre, o melhor.

John Newton escreveu: "Felizes são as pessoas que entregam tudo a Deus, que enxergam sua mão em cada propósito, e que acreditam que suas decisões para elas são melhores do que as que elas mesmas tomariam".

Diante da veracidade dessas palavras, só nos resta exclamar em concordância: "Amém! Aleluia!".

11
A vitória final

....

Com a ajuda do espinho em meu pé, pulo mais alto do que qualquer um com um pé sadio.

SØREN KIERKEGAARD

....

Quando a passagem bíblica sobre o espinho na carne e a graça de Deus se encerra, a nota predominante é de alegria. Paulo não se apresenta como um homem derrotado, nem mesmo conformado. Ele se mostra uma pessoa radiante. O apóstolo exulta — e dá, até mesmo, a impressão de saltar de alegria — ao descrever como Deus o conduziu através das dificuldades até o triunfo final.

"Agora fico feliz de me orgulhar de minhas fraquezas, para que o poder de Deus opere por meu intermédio", escreve ele. "Aceito com prazer fraquezas e insultos, privações, perseguições e aflições que sofro por Cristo" (2Co 12.9-10).

É exatamente a esse ponto que o Senhor almeja nos conduzir. Ele não quer apenas que suportemos a aflição. Seu alvo é usá-la de um modo tão extraordinário que possamos até nos gloriar dela. Tanto a resignação quanto a revolta são respostas relativamente fáceis de serem dadas quando a dor cruza nosso caminho. Qualquer pessoa é capaz de adotá-las. Deus, entretanto, nos desafia a galgar um patamar mais alto. Ele não quer que nos tornemos pessoas revoltadas ou resignadas. Ele espera que confiemos em seu amor e que cresçamos com nossas crises. Ele deseja fazer que tudo concorra para o nosso bem.

Quanto mais clara é a visão que temos de nosso Pai celestial, mais fácil se torna, para nós, confiarmos nele. Ao mesmo tempo, são as lutas que enfrentamos ao seu lado que nos levam a conhecê-lo melhor. De certa maneira, esse é um favor que os espinhos da vida nos prestam. Em vez de contribuir para nossa queda, eles podem ser usados para nossa elevação. E isso só é possível graças à capacidade divina de extrair o bem do mal. Ainda que Deus não tenha sido o inventor do sofrimento, foi ele quem descobriu como usá-lo.

Em busca de sentido

A experiência mais dura da vida não é sofrer, e sim sofrer sem um propósito. Quando não conseguimos encontrar sentido nas coisas que nos acontecem, somos tomados por uma sensação de aviltamento. É precisamente dessa sensação que o Senhor nos livra por meio de sua graça. Porque, na vida de um servo de Deus, nada acontece sem uma razão.

No fim de sua memorável experiência, Paulo compreendeu que o espinho encravado em sua carne podia cumprir um papel. A adversidade que enfrentava contribuía para sua humildade, sua intimidade com Cristo e o aperfeiçoamento do poder divino em sua vida. Diante de tal constatação, o quadro inteiro se transformou. O apóstolo começou a sentir alegria em suas fraquezas. Passou a se gloriar em suas tribulações. Para ele, agora, suas dificuldades tinham um novo significado.

Os fatos que se passaram com o apóstolo dos gentios encontraram eco na vida e na obra de um famoso psicólogo judeu do século 20. Nascido em Viena, na Áustria, Viktor Frankl se formou em neuropsiquiatria e se tornou um dos pioneiros na área da psicoterapia, ao lado de Sigmund Freud e Alfred

Adler. Em 1942, ele teve sua brilhante carreira interrompida pela ascensão do poderio nazista. Levado para Auschwitz, conheceu os horrores de um campo de concentração e os indizíveis sofrimentos da guerra. Foi submetido a um tratamento brutal e amargou a morte de seus entes queridos.

Tendo de conviver com circunstâncias tão adversas, Frankl passou a rever alguns de seus conceitos sobre a mente humana. Observando suas próprias atitudes e o comportamento das pessoas ao seu redor, constatou que os prisioneiros que sobreviviam eram aqueles que nutriam fortes convicções e conservavam uma razão para viver. Assim, chegou à conclusão que não era de prazer (como pensava Freud) nem de poder (como imaginava Adler) que todos os homens precisavam, e, sim, de significado e de propósito.

Viktor Frankl sobreviveu a sua terrível provação e se tornou conhecido em todo o mundo como o fundador da logoterapia. Em seu livro *Em busca de sentido*[1] (que vendeu milhões de exemplares), narrou sua jornada pessoal e compartilhou as descobertas que fez em meio ao sofrimento. Após uma vida inteira dedicada aos escritos e palestras, faleceu em 1997, com a idade de 92 anos. Ainda hoje, inúmeras pessoas se beneficiam de seus ensinos. De acordo com eles, quem tem um "porquê" enfrenta qualquer "como".

Paulo descobriu que seu sofrimento tinha um "porquê". Isso lhe trouxe forças não apenas para enfrentar seu "como", mas também para se alegrar nele. De igual modo, podemos estar convictos de que nada nos acontece sem um propósito e extrair disso real satisfação. Talvez nem tudo o que nos ocorra represente a vontade ideal de Deus para nossa vida. Entretanto, qualquer coisa que venha a nos atingir tem de passar, primeiro, pelo Senhor. E o fato de que tudo está sob o controle divino significa que nenhuma circunstância é tão terrível a ponto de que o Criador não possa tirar dela algum proveito para nós.

Atribuindo um novo significado

O reconhecimento de que nossos infortúnios recebem, das mãos do Senhor, uma utilização nobre, faz que sejamos capazes de enxergá-los de outra maneira, e de sentir algo distinto a seu respeito. Tendo superado o primeiro impacto e nossa reação natural de rejeitar tudo o que é desagradável, descobrimos que as adversidades podem ser bênçãos disfarçadas.

No livro *Pés como os da corça nos lugares altos*, a escritora Hannah Hurnard descreve, na forma de uma alegoria, a jornada de uma cristã em direção à mais elevada comunhão com Deus. Em certo momento, é dito à personagem principal que lhe serão dadas duas companheiras para ajudá-la ao longo do caminho. No princípio, ela se mostra feliz por poder contar com o auxílio. Porém, quando fica sabendo que os nomes de suas guias são Tristeza e Sofrimento, estremece da cabeça aos pés. Vendo sua reação, o Senhor lhe diz que confie na escolha que fez para ela. E, dessa maneira, as três passam a andar juntas.

Ao longo da caminhada, a personagem principal e suas novas acompanhantes passam por muitas coisas e acabam se tornando amigas. Ela reconhece que, sem a ajuda das duas, jamais conseguiria chegar ao destino esperado. Por fim, atinge os Lugares Altos. Ali fica sabendo que irá receber duas servas que a acompanharão para sempre, chamadas Alegria e Paz. Embora se mostre grata, ela percebe que sente falta de suas antigas companheiras, e que gostaria que estivessem ao seu lado.

Alegria e Paz, em vestes brilhantes, são trazidas à presença da cristã. E então ela descobre, para sua satisfação, tratar-se de suas grandes amigas, Tristeza e Sofrimento. Como as havia aceitado em sua vida, tinham chegado com ela, transfiguradas, aos Lugares Altos. "Você nos aceitou, e sempre que colocava sua mão nas nossas, íamo-nos transformando", disseram as duas ao abraçá-la. "Se tivesse voltado atrás ou nos rejeitado, nunca estaríamos aqui [...]. Sofrimento e Tristeza não podem entrar neste lugar [...] mas, desde que você nos trouxe consigo, fomos transformadas em Alegria e Paz".[2]

Ao longo de nossa trajetória, também podemos deparar com acompanhantes capazes de nos deixar desconcertados. Talvez nos vejamos cercados por realidades que jamais escolheríamos para fazer parte de nossa vida. Deus, entretanto, pode servir-se delas para nosso crescimento. Quando nos damos conta disso, as coisas ganham um aspecto diferente.

Paulo atribuiu um novo significado ao espinho quando percebeu que o Senhor estava utilizando-o para abençoar sua vida. Agora, conseguia ver as coisas de outra forma. Ele poderia até mesmo dizer aos demônios que haviam tentado derrubá-lo: "Vocês pretendiam me fazer o mal, mas Deus planejou tudo para o bem" (Gn 50.20). Estava em condições de enfrentar seus adversários e de animar seus irmãos na fé. Era capaz de afirmar com segurança: "Quando sou fraco, então é que sou forte" (2Co 12.10). Em vez de conservar a dor em suas mãos e se entristecer com a sensação de derrota, o missionário a entregou nas mãos do Salvador e deixou que ele a usasse para modelar sua vitória.

Apresentando-se para o serviço

A vitória de Paulo foi modelada a partir de muitas batalhas e superações. De um modo significativo, isso havia sido profetizado desde o começo. Vários anos antes, por ocasião de sua conversão, o Senhor havia dito: "Saulo é o instrumento que escolhi para levar minha mensagem aos gentios e aos reis, bem como ao povo de Israel. E eu mostrarei a ele quanto deve sofrer por meu nome" (At 9.15-16).

Há algo nessa passagem bíblica que chama minha atenção.

Alguém que leia apressadamente o texto poderá julgar existir uma contradição entre o primeiro e o segundo versículos. Afinal, Deus inicia sua fala atribuindo um alto valor a Paulo. Refere-se a ele como um vaso escolhido, distingue-o como um instrumento que deseja usar de maneira extraordinária, e apresenta-o como um homem que será destacado para as mais importantes missões. E, logo em seguida, de uma forma que alguns poderiam achar dissonante, afirma que vários sofrimentos estão à sua espera.

Mas a dissonância é apenas aparente. Não existe contradição nenhuma entre o fato de sermos amados e o de enfrentarmos problemas. As tribulações estariam aguardando por Paulo exatamente porque o Senhor se importava com ele e desejava usá-lo. As adversidades seriam um desdobramento de seu chamado e, ao mesmo tempo, fariam parte de sua capacitação para cumpri-lo. Quando nos apresentamos para o serviço de nosso Rei, dispomo-nos, também, para sua disciplina e treinamento.

Todo lápis tem de passar pelo apontador se quiser ser útil, e o machado precisa enfrentar, de tempos em tempos, as fagulhas do esmeril. A corda de um instrumento necessita ser esticada a fim de produzir melodias, e o grão de trigo deve ser moído se quiser ser transformado em pão. Parece ser uma lei da existência que as coisas mais estimadas e proveitosas não tenham de ser poupadas dos rigores, e, sim, expostas a eles. O mesmo pode ser dito a respeito de quem o Senhor ama e deseja usar.

Para nossa felicidade, aquele que maneja o apontador e o esmeril de nossa alma faz isso com extrema perícia. Ele não estica as cordas a ponto de arrebentá-las, e jamais desperdiça o trigo que carrega em suas mãos. Sendo assim, a pergunta que cada um de nós deve fazer a si mesmo é: "Estou pronto a apresentar-me para sua obra?". Há pessoas que tentam preservar sua vida e que, ao fazê-lo, acabam por desperdiçá-la. Mas aqueles que entregam a vida ao Senhor descobrem-se vasos escolhidos para abençoar a muitos.

"Você quer ser usado?"

Há uma bela fábula a respeito de um homem que era considerado o melhor jardineiro do mundo. Quem entrasse no jardim que ele havia plantado poderia, por um instante, acreditar que estivesse no próprio Éden. Lindas flores coloridas cobriam o chão, sempre visitadas por colibris e borboletas. O vento, soprando delicadamente nos canteiros, espalhava fragrâncias pelo espaço. No pequeno lago encimado por uma ponte, carpas vermelhas nadavam alegremente, enquanto libélulas apressadas vinham saciar sua sede. Havia toda uma exuberância de rosas, margaridas, tulipas e amores-perfeitos. Inúmeras plantas viçosas atestavam o trabalho incomparável do grande jardineiro.

Naquele jardim havia, também, uma touceira de bambu. Como suas companheiras, ela havia sido plantada com carinho e de acordo com um plano bem estabelecido. Dia após dia, o bambu via o jardineiro entrar no local para cuidar das plantas. Ele também percebia que, frequentemente, o homem apanhava flores e folhas que levava consigo. Fora do jardim, elas iriam servir às mais variadas funções: ornamentar um templo, compor o buquê de uma noiva, enfeitar o quarto de um enfermo, consolar a alma de um enlutado, homenagear um aniversariante... o bambu achava aquilo a coisa mais linda do mundo. E, embora estivesse feliz vivendo em seu jardim, começou a imaginar como seria bom ser usado, como as demais plantas, para alegrar vidas.

Certa manhã, quando o jardineiro chegou ao local, o bambu lhe disse:

— Tenho visto você levar minhas vizinhas a fim de usá-las para fazer do mundo um lugar melhor. Isso jamais aconteceu comigo. Por que não me leva também? Eu gostaria de ser usado!

O homem aproximou-se do bambu e olhou-o com ternura. A planta teve a impressão de que, por alguma razão, ele sempre havia esperado por aquele pedido. Chegando bem perto, afagou o bambu por alguns instantes. Em seguida, perguntou:

— Você deseja, realmente, ser usado?

— Sim — respondeu a planta.

Sem dizer mais nenhuma palavra, o jardineiro virou as costas e deixou o lugar. Quando retornou, trazia várias ferramentas consigo. A primeira que ele apanhou foi um facão. Aproximando-se da touceira de bambu, preparou-se para desferir um golpe em sua base.

— O que você pensa que está fazendo? — exclamou o bambu, apavorado. — Ninguém falou nada sobre ser cortado e atirado ao solo!

O jardineiro simplesmente perguntou:

— Você quer ser usado?

— Sim — balbuciou a planta.

Então, ele começou a cortá-la. Em poucos minutos a touceira havia sido desbastada, e agora havia bambus espalhados por todo o chão. O jardineiro guardou o facão e voltou com uma faca, disposto a arrancar os galhos dos caules.

— Já não basta você me lançar por terra? Quer, ainda, despir-me de minha folhagem? — inquiriu o bambu.

— Você quer ser usado? — perguntou novamente o jardineiro.

— Sim — foi a resposta.

Diante disso, o homem arrancou toda a folhagem da planta. O bambu, naquele momento, se sentia triste e assustado. Olhava para os lugares de onde os galhos haviam sido cortados, e enxergava cada uma daquelas marcas como horríveis cicatrizes. "O que mais pode me acontecer?", refletiu ele, choroso. Foi nesse momento que o homem voltou com um serrote.

— Oh, não! Isso já é demais! — protestou o bambu.

Como das outras vezes, o jardineiro se limitou a perguntar:

— Você quer ser usado?

— Sim, quero — gemeu a planta, baixinho.

Então o jardineiro serrou cada tronco em duas metades, retirando, também, seus gomos. Depois de concluída essa parte do trabalho, o jardineiro amarrou todas as metades de bambu e começou a arrastá-las para fora do jardim. A planta chorou ao ver que seria levada para longe do lugar onde estivera por toda sua vida. Concluiu que nunca mais tornaria a ver as amigas com as quais crescera e trocara confidências.

O jardim foi ficando para trás. À medida que era arrastado, o bambu percebeu que estava sendo levado para um lugar desolado. Por um instante, chegou a pensar que o jardineiro havia cometido um erro. O homem, entretanto, não dava sinais de indecisão. Prosseguia determinado, carregando os caules serrados atrás de si. A planta se deu conta de que nunca haviam estado tão próximos, nem passado tanto tempo juntos. Agora que podia observá-lo mais de perto, ela percebeu que o jardineiro também carregava, no corpo, suas próprias cicatrizes.

— Para onde você está me levando? — sussurrou o bambu.
— Você quer ser usado? — perguntou o jardineiro.
— Sim — respondeu o bambu pela última vez.

Finalmente, chegaram a um local deserto. Nada de belo ou especial podia ser percebido ali. O chão duro era coberto de pedras e de poeira. Sobre a terra seca não existia forma alguma de vida. "Este deve ser o lugar mais triste do mundo", pensou o bambu.

Nessa hora, o homem se aproximou da planta e falou:

— Sempre que passei por este local, eu me senti consternado. Durante anos desejei transformá-lo em um jardim ainda mais bonito do que aquele que cultivei por tanto tempo. Perto daqui existe uma nascente. Eu sabia que poderia trazer a água até este pedaço de terra e, assim, regar o solo e começar a plantar. Mas, para fazer isso, eu iria precisar de alguma forma de encanamento. Vou usar seus caules serrados como canos para trazer a água da fonte até aqui.

Por fim, o grande jardineiro disse ao bambu:

— Neste lugar haverá um jardim ainda mais belo do que o anterior. Daqui sairão plantas ornamentais e ervas medicinais que farão diferença na vida de muita gente. Flores se espalharão por toda parte, cobrindo o solo como um tapete e enchendo o ar com sua fragrância. Pássaros e abelhas voarão neste lugar. Idosos se sentarão nos bancos, crianças correrão pelas trilhas, e casais apaixonados trocarão juras de amor sob a copa das árvores. Este local será como o paraíso. Ele será o jardim mais bonito do mundo! E tudo isso só será possível porque você se dispôs a ser usado.

As cortinas se fecham

Aprendemos, assim, a lição: na vida dos filhos e filhas de Deus, nada é desperdiçado. O Senhor tem um grande amor por nós, e traçou excelentes planos a nosso respeito. Tudo aquilo que nos acontece precisa ser considerado a partir dessa visão. O Pai celestial deseja usar nossa vida. E a vida de cada um de nós pode ser usada de uma forma que é, simplesmente, única. Os sofrimentos que experimentamos, as injustiças de que somos vítimas, as lutas que travamos — tudo pode ser revertido para nosso benefício e para a felicidade de outros. Para isso, é necessário que confiemos em Deus.

Paulo aprendeu essa lição ao longo dos anos, enfrentando os altos e baixos da vida ao lado de seu Redentor. Ele foi apresentado às alegrias do céu, mas conheceu, também, a fúria dos ataques do inferno. Presenciou milagres tremendos e foi alvo das mais terríveis agressões. Passou por naufrágios, apedrejamentos, prisões e açoitamentos. E por fim, ao considerar todas essas coisas, escreveu: "Quero que saibam, irmãos, que tudo que me aconteceu tem ajudado a propagar as boas-novas" (Fp 1.12).

Deus estava usando a vida de seu filho para fazer do mundo um lugar melhor.

É dessa forma que o drama envolvendo a carne, o espinho e a graça se encerra. Quando as cortinas descem sobre o palco, o apóstolo Paulo se despede como um homem vitorioso. Para nós, fica a mensagem de que Deus está realizando uma grande obra, e de que todas as suas obras são feitas em amor.

Aprendemos que, embora nem sempre possamos escolher os fatos que marcam nossa vida, temos a opção de decidir o que faremos com eles, e o que permitiremos que Deus faça por seu intermédio.

"A vida é composta de dez por cento do que acontece a você, e noventa por cento de como você reage ao que lhe acontece", afirmou Robert Schuller. Sendo assim, torna-se essencial ressignificarmos nossas experiências. Não temos controle sobre a maior parte daquilo que nos acontece. Por outro lado, o modo como reagimos aos acontecimentos depende apenas de nós. Se optarmos por entregar todas as coisas a Deus, estaremos rumando para a vitória e para um final feliz.

É nessa direção que precisamos seguir. Acreditemos que o Senhor constrói coisas boas a partir de materiais ruins. Creiamos que ele quer agraciar-nos e abençoar pessoas por nosso intermédio. Entendamos que as situações podem ser utilizadas a fim de guardar nossa alma e de capacitar-nos no cumprimento de nossa missão. Confiemos no amor daquele que subiu à cruz em nosso lugar. Deixemos que Jesus se sirva de nossas circunstâncias para escrever uma história que o enalteça. Acreditemos no poder daquele que faz novas todas as coisas.

Sigamos o exemplo de Cristo, e deixemos que espinhos abjetos se transformem em emblemas de glória e exaltação.

12
Um testamento

> Não há nenhum pedacinho de ouro naquela Cidade que não tenha sido provado na fornalha; nem uma pedra preciosa que não tenha passado pelo cinzel; nem uma pérola que não tenha sido produzida pelo sofrimento.
>
> WATCHMAN NEE

Paulo se encontra em um recinto úmido, enfrentando os rigores do inverno da Itália sem muitos recursos ou conforto. Procurando alguma maneira de se aquecer, ele atiça as chamas da lareira e busca enrolar-se, o melhor que pode, nas roupas que cobrem seu corpo. Sua capa mais grossa havia ficado em Trôade, na casa de Carpo, e ele agora sente muita falta dela. Sente falta, também, dos companheiros e irmãos. Acha-se afastado deles pela distância e pelo tempo. Como seria bom ver o rosto deles e ouvir sua voz mais uma vez!

Igrejas de Corinto, Éfeso, Tessalônica, Antioquia... todas passam vividamente por sua memória, enchendo seu coração de saudade. Naqueles lugares ele tinha feito bons amigos, testemunhado manifestações do Espírito Santo e ganhado almas para Cristo. Sua vida havia sido cheia de relevância. Suas pregações haviam conduzido inúmeras pessoas aos pés do Mestre. E suas cartas, lidas e compartilhadas em toda parte, ajudavam a fortalecer a fé dos crentes e a solidificar as bases da doutrina cristã.

Ainda que estivesse na prisão e que uma provável execução o aguardasse, o velho apóstolo se sentia em paz. Jesus havia se manifestado a ele muito tempo antes na estrada para Damasco, transformando seu coração endurecido em uma alma cheia de amor. Ao longo dos anos que se seguiram, Cristo provou ser, em todos os sentidos, um Salvador fiel. O Filho de Deus havia perdoado seus pecados e guiado seus passos. Ele havia usado sua vida de uma forma extraordinária. Em momento algum o tinha desamparado.

Refletindo nessas coisas, Paulo se aproxima da mesa colocada em um dos cantos da sala escura. Ali o aguardam o pergaminho, a pena e a tinta. Vagarosamente, puxa a cadeira para perto, aproxima o pequeno candeeiro e força sua visão debilitada a fim de escrever mais uma vez. Esta será sua última carta e, de certa forma, seu testamento espiritual. Desde o início, ele pensou em endereçá-la a Timóteo, seu antigo parceiro nas viagens missionárias. Nutria por ele um carinho especial, porque o considerava seu filho na fé. Também o admirava por causa da sinceridade que sempre havia demonstrado em sua caminhada com Deus.

"Espero que Timóteo venha a Roma assim que puder", pensa ele. "Enquanto isso, posso enviar-lhe uma carta. Posso compartilhar com ele aquilo que aprendi e encorajá-lo no cumprimento do ministério. E quem sabe se essas linhas não virão, também, a abençoar outras pessoas que as lerão depois?" Movido por esse pensamento, o apóstolo molha a pena na tinta e se inclina em direção ao pergaminho. Com movimentos lentos, continua a redigir a mensagem que tinha iniciado algumas horas antes:

> Pois Deus não nos deu um Espírito que produz temor e covardia, mas sim que nos dá poder, amor e autocontrole. Portanto, jamais se envergonhe de falar a outros sobre nosso Senhor. E também não se

envergonhe de mim, que estou preso por causa dele. Com a força que Deus lhe dá, esteja pronto para sofrer comigo por causa das boas-novas. Pois Deus nos salvou e nos chamou para uma vida santa, não porque merecêssemos, mas porque esse era seu plano desde os tempos eternos: mostrar sua graça por meio de Cristo Jesus.

2Timóteo 1.7-9

Entre lutas e conquistas

A vida e a obra de Paulo foram, sob todos os aspectos, notáveis. Poucas pessoas desfrutaram uma comunhão tão íntima com Deus. Poucos servos do Senhor deram contribuições tão expressivas ao seu reino. Há uma lenda antiga e bastante curiosa sobre isso. De acordo com ela, quando o diabo soube que Paulo havia se convertido, decretou luto oficial no inferno por um mês. Naturalmente, essa afirmação não passa de folclore. Mas ela ilustra o estrago causado, pela conversão de Saulo de Tarso, nas intenções das potestades do mal.

Tal qual o eminente apóstolo, fomos chamados para andar com Cristo, ser usados para sua glória e viver experiências ao seu lado. Muitas dessas experiências serão maravilhosas e inesquecíveis. Mas em nosso quinhão estará incluída, igualmente, certa dose de sofrimento. Haverá momentos em que a dor cruzará nosso caminho. O Senhor, entretanto, não nos deu um Espírito de covardia, e sim de poder, amor e autocontrole. Ele nos ajudará a enfrentar cada batalha. Pela sua graça, seremos mais do que vencedores.

No final de sua vida, Paulo se achava encarcerado por anunciar o evangelho. A Palavra de Deus, contudo, não estava presa (2Tm 2.9). Ela fortalecia sua alma, corria em suas veias, renovava suas esperanças. Ela também se espalhava pelas vilas e cidades do Império Romano, enchendo a terra assim como as ondas cobrem o mar. Por essa razão, o apóstolo não se sentia derrotado, nem se envergonhava de sua fé. Ele estava decidido a enfrentar as provas com bravura, dedicando seus sofrimentos a Deus como uma forma de adoração.

De acordo com a tradição, o lugar onde Paulo ficou detido em Roma se chamava Prisão Mamertina. Alguns, hoje, também enfrentam prisões, e elas podem ter seus próprios nomes. Há pessoas que se acham confinadas no Cárcere da Depressão. Outras estão presas na Cadeia da Enfermidade. E há ainda a Prisão da Saudade, a Torre do Abandono, a Cela da Decepção... quando deparamos com grades desse tipo, ajuda-nos saber que Deus não se esqueceu de nós, e que já estabeleceu o tempo e a forma de nossa libertação.

Paulo estava pronto para sofrer por causa das boas-novas, e, também, para incluir Deus em seus padecimentos. Por essa razão, as privações enfrentadas no calabouço não o lançaram por terra. Se tomarmos uma atitude semelhante, alcançaremos os mesmos resultados. Devemos nos lembrar de que o tempo no qual estamos — seja tempo de nascimento ou de morte, de riso ou de choro, de luta ou de vitória — é o tempo de Deus. O Senhor está presente em nossa vida a cada instante. E junto com sua presença podemos experimentar, também, sua paz.

Muito além dos espinhos

Paulo tinha a alegria de poder olhar para trás e constatar que havia lutado o bom combate.

> Lutei o bom combate, terminei a corrida e permaneci fiel. Agora o prêmio me espera, a coroa de justiça que o Senhor, o justo Juiz, me

dará no dia de sua volta. E o prêmio não será só para mim, mas para todos que, com grande expectativa, aguardam a sua vinda.

2Timóteo 4.7-8

O apóstolo não havia brigado por mesquinharias humanas. Não havia se metido em discussões por desejar que suas vontades prevalecessem. Não havia se esforçado em busca de riquezas, glória, influência ou poder. Não, nada disso! Ele havia escolhido muito bem sua luta: defender a causa de Cristo e do evangelho. E, além de batalhar por algo nobre, havia feito isso de maneira igualmente digna. Combatera com honra, humildade, amor, integridade e fé. Acabara a corrida e permanecera fiel. Estava satisfeito com aquilo a que havia dedicado sua vida, e, também, com a forma como o havia feito. Quantos dos grandes deste mundo podem dizer a mesma coisa?

Um empresário rico (e frustrado) resumiu da seguinte forma sua carreira: "Passei muitos anos me esforçando para chegar ao degrau mais alto da escada. E, quando cheguei lá, descobri que havia colocado a escada na parede errada". Essa tem sido a tragédia de muita gente! Sendo assim, é importante pararmos para pensar. Perguntemos a nós mesmos: "Qual tem sido o objetivo da minha vida? De que forma eu o tenho perseguido?". Quando estabelecemos as prioridades certas e nos conduzimos de maneira adequada, podemos chegar ao fim da jornada com uma sensação de real contentamento.

Paulo tinha vencido a guerra. Tinha rompido a fita de chegada. Agora, ele aguardava sua recompensa. Ao considerar sua trajetória bem-sucedida, o apóstolo poderia apontar vários fatores que haviam contribuído para seu triunfo. Entre eles estavam, certamente, o espinho que atravessara sua carne e a graça que recebera para suportá-lo. A provação o havia ajudado a se manter no rumo certo. Tinha sido decisiva para que ele pudesse ser capacitado e usado. O servo de Deus se sentia grato por tudo, até mesmo pelas dificuldades. Ele sabia que em breve suas tribulações seriam trocadas por uma coroa e que essa coroa não seria de espinhos, e sim de justiça.

O mesmo prêmio está reservado para todos os que aguardam a volta do Senhor. Portanto, continuemos firmes! Ao enfrentarmos ventos contrários, encaremo-los corajosamente. Não existe nada de errado em pedirmos a Cristo que remova nossos espinhos. Ele próprio nos incentivou a pedir, a buscar e a bater à porta. Portanto, sigamos seu conselho. Podemos orar pela cura das doenças, pela solução dos problemas, pelo fim das perseguições, pelo suprimento das carências, pela superação dos conflitos e pelo alívio das cargas. Podemos suplicar ao Salvador aquilo por que ansiamos. Na verdade, ele aguarda que façamos isso! Ele espera que sejamos ousados e perseverantes na oração! Entretanto, será necessário que levemos em conta, sempre, a vontade do Senhor.

O propósito e o tempo de Deus nem sempre correspondem aos nossos.

> "Meus pensamentos são muito diferentes dos seus", diz o Senhor,
> "e meus caminhos vão muito além de seus caminhos.
> Pois, assim como os céus são mais altos que a terra,
> meus caminhos são mais altos que seus caminhos,
> e meus pensamentos, mais altos que seus pensamentos."
>
> Isaías 55.8-9

O nosso Deus é o Rei soberano. Devemos confiar em seu amor e poder. Martin Luther King Jr. dizia que "ter fé é pisar o primeiro degrau, mesmo que você não veja toda a escada".

Quando seguimos a Jesus, podemos não enxergar a escada inteira. Entretanto, sabemos que ela está encostada na parede certa.

Chegando ao céu

Finalmente, Paulo se aproxima da conclusão de sua última carta. A essa altura, seus pensamentos se dirigem, cada vez mais, para a eternidade que se avizinha. Ele sabe que um ciclo está se encerrando. A primeira geração de cristãos está sendo levada para junto de seu Senhor. Assim como acontece em uma corrida de revezamento, o bastão da fé está sendo passado aos novos discípulos, para que estes, por sua vez, o transmitam a outros na devida hora. Desse modo, ao longo dos anos, a igreja de Cristo seguirá vitoriosa. Avançará amparada por aquele que prometeu estar com ela até a consumação dos séculos.

Molhando, pela derradeira vez, a ponta da pena na tinta, o apóstolo se prepara para encerrar sua epístola. Com o espírito cheio de gratidão, redige as certezas que o animam e que deseja compartilhar como um legado:

> Mas o Senhor permaneceu ao meu lado e me deu forças para que eu pudesse anunciar as boas-novas plenamente, a fim de que todos os gentios as ouvissem. E ele me livrou da boca do leão. Sim, o Senhor me livrará de todo ataque maligno e me levará em segurança para seu reino celestial. A Deus seja a glória para todo o sempre! Amém.
>
> 2Timóteo 4.17-18

Paulo em breve partiria para as mansões celestiais. O paraíso que ele havia visitado muitos anos antes se tornaria o local de sua residência. Ali ele iria contemplar a face do seu Redentor. Iria andar em ruas de ouro, caminhar por praças de cristal, apreciar os fundamentos de pedras preciosas e admirar as portas feitas de grandes pérolas. Iria escutar o canto dos anjos e reencontrar velhos amigos. Iria, também, conhecer e receber servos leais de Cristo — peregrinos chegados ao céu por meio de lutas e provações.

É dessa maneira que o Salvador conduz a história de nossa vida. No fim de tudo, olharemos para trás e reconheceremos a sabedoria divina em cada trecho do caminho. Para isso, será necessário nos dispormos a fazer sua vontade, confiando em sua graça e pagando o preço do discipulado. Ele ficará ao nosso lado. Ele nos dará forças para cumprirmos nossa missão. Ele nos livrará dos perigos. Ele nos protegerá dos ataques. Ele fará a jornada valer a pena! E, depois de tudo, ele nos levará, em segurança, para seu reino celestial.

Assim como concedeu ao apóstolo Paulo uma trajetória vencedora, Jesus almeja conduzir-nos ao lugar mais alto do pódio. Ele quer enxugar-nos as lágrimas dos olhos, vestir-nos de roupas resplandecentes e dar-nos a coroa da vida. Quer conceder-nos uma felicidade sem fim. Não importa quanto nossas provações sejam grandes, nem quão dolorosos sejam nossos espinhos. Deus, em Cristo, sempre nos conduz em triunfo (2Co 2.14).

A história se encerra de uma forma admirável. O mundo pode ser um palco de dramas inquietantes, coberto de cardos e de ervas daninhas. Entretanto, aquele que é nascido de Deus vence o mundo (1Jo 5.4). E ainda que em alguns momentos a jornada da fé venha a se mostrar árdua, de uma coisa todos os que seguem a Cristo podem estar certos: quando chegarem ao céu, chegarão como vencedores.

Como escreveu o poeta cristão Alexander:

"Todo aquele que é nascido de Deus vence o mundo." Não somente onde catedrais espiraladas elevam bem alto a cruz triunfal, ou em campos de batalha que têm acrescentado reinos à cristandade; mediante a fogueira dos mártires ou na arena do Coliseu, essas palavras têm se mostrado verdadeiras. A vitória desce até nós. Nos hospitais, nas lojas, nos tribunais, nos quartos dos enfermos, essas palavras se cumprem em nosso favor. Vemos sua verdade na paciência, na doçura, na calma das criancinhas, de homens idosos, de mulheres frágeis [...]. Algumas vezes, somos tentados a clamar: É esse o exército de Cristo? São esses os seus soldados, que podem ir a qualquer lugar e fazer qualquer coisa? Contudo, somos mais que vencedores por meio daquele que nos amou. Essa altivez da vitória é ao mesmo tempo tão esplêndida e tão santa![1]

Conclusão

....

A maioria das pessoas é fruto de sua época. E a época em que vivemos está repleta de promessas de vida fácil, conforto absoluto, alegria constante, relacionamentos sem desafios e vitórias sem esforço. Em tempos assim, quando os indivíduos deparam com algo desagradável, não pensam em lidar com a experiência e crescer com ela. Seu impulso é simplesmente buscar a remoção daquilo que os incomoda. E quando isso não é possível, eles se sentem abatidos e desnorteados.

Embora não apreciemos a dor e tenhamos todo o direito de tentar removê-la, devemos estar cientes de que, em maior ou menor grau, ela fará parte de nossa vida. Ao contrário do mundo, Deus não faz promessas vazias, e ele só nos prometeu uma existência sem dores depois da morte. Isso, entretanto, não significa que não possamos ser felizes desde já. Se há algo que aprendemos com o exemplo de Paulo e seu espinho é que nossas provações não precisam ser obstáculos a uma vida plena.

Peçamos ao Senhor que dê fim àquilo que nos entristece e amedronta. Mas supliquemos a ele também que, caso isso demore a acontecer, possamos ser edificados através dos acontecimentos. As adversidades são excelentes oportunidades de crescimento. Embora o sofrimento em si não amadureça as pessoas, raramente nos tornamos maduros sem passar por ele. De acordo com as Escrituras, "enquanto Jesus esteve na terra, ofereceu orações e súplicas, em alta voz e com lágrimas, àquele que podia salvá-lo da morte, e suas orações foram ouvidas por causa de sua profunda devoção. Embora fosse Filho, aprendeu a obediência por meio de seu sofrimento" (Hb 5.7-8). Ora, se até Jesus Cristo — o Filho amado e perfeito de Deus — aprendeu por meio da dor, por que o mesmo não aconteceria conosco?

Se o Senhor permite que passemos por lutas, isso não ocorre porque ele não nos ama, e, sim, porque deseja o nosso bem. Devemos considerar a possibilidade de que aquilo que queremos ver eliminado seja o mesmo que ele deseja transformar em algo útil. Tudo está debaixo do controle do Criador. O Senhor possui uma incrível capacidade de transformar males em bênçãos e de extrair alegria da dor. E ainda que nem tudo o que acontece no mundo seja a expressa manifestação de sua vontade, todas as coisas podem ser revertidas para o bem daqueles que o amam e confiam nele.

Acompanhamos o apóstolo Paulo ao longo de sua desafiadora jornada, e aprendemos que há mais de Deus a ser experimentado em tempos de aflição do que em qualquer outro tempo. Portanto, não nos deixemos desanimar. A vitória nos foi prometida, e a única maneira de perdê-la seria desistindo da luta antes de seu final. Naturalmente, é isso o que o inimigo quer que aconteça. Mas nossa perseverança pode frustrar seus intentos e aprofundar nossa intimidade com nosso amado Redentor. Cristo nos concederá sua graça. Ele enxugará nossas lágrimas, renovará nossas forças, dissipará nossos temores, enrijecerá nosso caráter e aumentará nossa fé.

O Senhor nos livrará de todo ataque maligno e nos levará em segurança para seu reino celestial. A Deus seja a glória para todo o sempre! Amém!

Notas

Capítulo 2
[1] F. Davidson (org.), *O Novo Comentário da Bíblia*, vol. 3 (São Paulo: Vida Nova, 1980), p. 1227.
[2] F. F. Bruce, *Paulo, o apóstolo da graça: Sua vida, cartas e teologia* (São Paulo: Shedd Publicações, 2003), p. 129.
[3] William Barclay, *El Nuevo Testamento comentado*, vol. 9 (Buenos Aires: La Aurora, 1976), p. 265.
[4] John Bunyan, *O peregrino* (São Paulo: Mundo Cristão, 2017), p. 55-61.

Capítulo 3
[1] Fritz Rienecker e Cleon Rogers, *Chave linguística do Novo Testamento grego* (São Paulo: Vida Nova, 1985), p. 366.

Capítulo 4
[1] G. K. Chesterton, *Ortodoxia* (São Paulo: Mundo Cristão, 2007), p. 11.
[2] Russell Shedd, *O mundo, a carne e o diabo* (São Paulo: Vida Nova, 1991), p. 60.
[3] John Knox e João Calvino, *Oração e a vida cristã* (São Paulo: Vida, 2016), p. 55.

Capítulo 5
[1] Collin Kruse, *2 Coríntios: Introdução e comentário*, Série Cultura Bíblica (São Paulo: Vida Nova, 1994), p. 218.
[2] John Stott, *Eu creio na pregação* (São Paulo: Vida, 2003), p. 359.
[3] David Semands, *Cura para os traumas emocionais* (Belo Horizonte: Betânia, 1984), p. 159.

Capítulo 6
[1] Russel N. Champlin, *O Novo Testamento interpretado versículo por versículo*, vol. 4 (São Paulo: Milenium, 1982), p. 416.

²F. B. Meyer, *Comentário bíblico devocional* (Belo Horizonte: Betânia, 1992), p. 195.
³Fritz Rienecker e Cleon Rogers, *Chave linguística do Novo Testamento grego* (São Paulo: Vida Nova, 1985), p. 366.

Capítulo 7

¹Russel N. Champlin, *O Novo Testamento interpretado versículo por versículo*, vol. 4 (São Paulo: Milenium, 1982), p. 416.
²*Novíssima Delta Larousse enciclopédia e dicionário* (Rio de Janeiro: Delta, 1985), p. 1657.
³Russel N. Champlin, *O Novo Testamento interpretado versículo por versículo*, vol. 4 (São Paulo: Milenium, 1982), p. 416.
⁴Idem.

Capítulo 8

¹Philip Yancey, *Maravilhosa graça* (São Paulo: Vida, 2005), p. 45.
²Walter A. Elwell, *Enciclopédia histórico-teológica da igreja cristã*, vol. 2 (São Paulo: Vida Nova, 1990), p. 216.
³Millard J. Erickson, *Conciso dicionário de teologia cristã* (Rio de Janeiro: Juerp, 1991), p. 75.
⁴Jean-Jacques Von Allmen, *Vocabulário bíblico* (São Paulo: Aste, 1972), p. 157.
⁵Citado em John Stott, *A cruz de Cristo* (São Paulo: Vida, 1992), p. 294.

Capítulo 9

¹Colin Kruse, *2 Coríntios: Introdução e comentário*, Série Cultura Bíblica (São Paulo: Vida Nova, 2005), p. 220.
² Gary R. Collins, *Aconselhamento cristão: Edição século 21* (São Paulo: Vida Nova, 2004), p. 44.

Capítulo 10

¹Fritz Rienecker e Cleon Rogers, *Chave linguística do Novo Testamento grego* (São Paulo: Vida Nova, 1985), p. 366.
²Jaime Kemp, *Onde está Deus no meu sofrimento?* (São Paulo: Eclesia, 1999), p. 30.
³Fritz Rienecker e Cleon Rogers, *Chave linguística do Novo Testamento grego* (São Paulo: Vida Nova, 1985), p. 366.

[4] Russel N. Champlin, *O Novo Testamento interpretado versículo por versículo* (São Paulo: Milenium, 1982), v. 4, p. 416.

Capítulo 11
[1] Viktor E. Frankl, *Em busca de sentido* (Vozes: São Paulo, 2017).
[2] Hannah Hurnard, *Pés como os da corça nos lugares altos* (São Paulo: Vida, 2010), p. 177.

Capítulo 12
[1] Citado em Russel N. Champlin, *O Novo Testamento interpretado versículo por versículo*, vol. 6 (São Paulo: Milenium, 1982), p. 289.

Sobre o autor

Marcelo Rodrigues de Aguiar é pastor da Igreja Batista em Mata da Praia, em Vitória, Espírito Santo. É formado em Teologia pelo Seminário Teológico Batista do Sul do Brasil e em Psicologia pela Universidade Federal do Espírito Santo. É casado com Rosi L. R. de Aguiar e pai das gêmeas Amanda e Beatriz.

Compartilhe suas impressões de leitura,
mencionando o título da obra, pelo e-mail
opiniao-do-leitor@mundocristao.com.br
ou por nossas redes sociais

Esta obra foi composta com tipografia Palatino
e impressa em papel Pólen Soft 70 g/m² na gráfica Rettec